Mes 2 000 kilomètres sur les sentiers de Saint-Jacques-de-Compostelle

Claude Bernier

Mes 2 000 kilomètres sur les sentiers de Saint-Jacques-de-Compostelle

ARION

Données de catalogage avant publication (Canada)

Bernier, Claude, 1939-

Mes 2 000 kilomètres sur les sentiers de Saint-Jacques-de-Compostelle

ISBN 2-921493-69-1

1. Bernier, Claude, 1939- - Voyages - Espagne - Saint-Jacques-de-Compostelle. 2. Pèlerinages chrétiens - Espagne - Saint-Jacques-de-Compostelle. 3. France (Sud-Ouest) - Descriptions et voyages. 4. L'Espagne (Nord) - Descriptions et voyages. I. Titre. II. Titre: Mes deux milles kilomètres sur les sentieirs de Saint-Jacques-de-Compostelle.

BX2321.S3B47 2002 263'.0424611 C2002-941609-9

Éditeurs:

Arion
10570 Élisabeth II
Québec
G2A 1Y3

Illustration: l'auteur

Mise en pages: Composition Monika, Québec

Conception graphique: Suzy Boisvert

Dépôt légal:

4e trimestre 2002
Bibliothèque nationale du Québec
Bibliothèque nationale du Canada

ISBN: 2-921493-69-1

Distribution: Prologue, Montréal
Librairie du Québec, Paris

À Felice,
une jeune handicapée espagnole,
mon phare, ma lumière..

Remerciements

Merci à Monsieur Claude Courau, président,
de l'Association québécoise des Pèlerins et Amis du Chemin de St-Jacques
pour ses conseils et sa connaissance du Chemin.

Merci à Micheline Dubé, ma femme,
qui m'a encouragé et m'a permis de faire ce Chemin.

Merci à mes deux fils, Ghislain et Rémi,
qui ont soutenu leur mère durant mon absence.

Merci à Monsieur Réal Leboeuf, pèlerin,
qui m'a initié à la vie du Chemin.

Merci à Madame Sylvie Lapierre, pèlerine,
qui m'a précédé sur le Chemin
et qui m'a apporté de judicieux conseils.

Merci à mes fidèles correcteurs,
Madame Christiane Dupont-Champagne,
Madame Éva Lambert,
Monsieur Raymond Champagne,
Monsieur Maurice Plamondon,
pour la correction et l'amélioration de mes textes.

Pour tous renseignements concernant
l'Association québécoise des Pèlerins et Amis du Chemin de St-Jacques
http://*www.duquebecacompostelle.org*

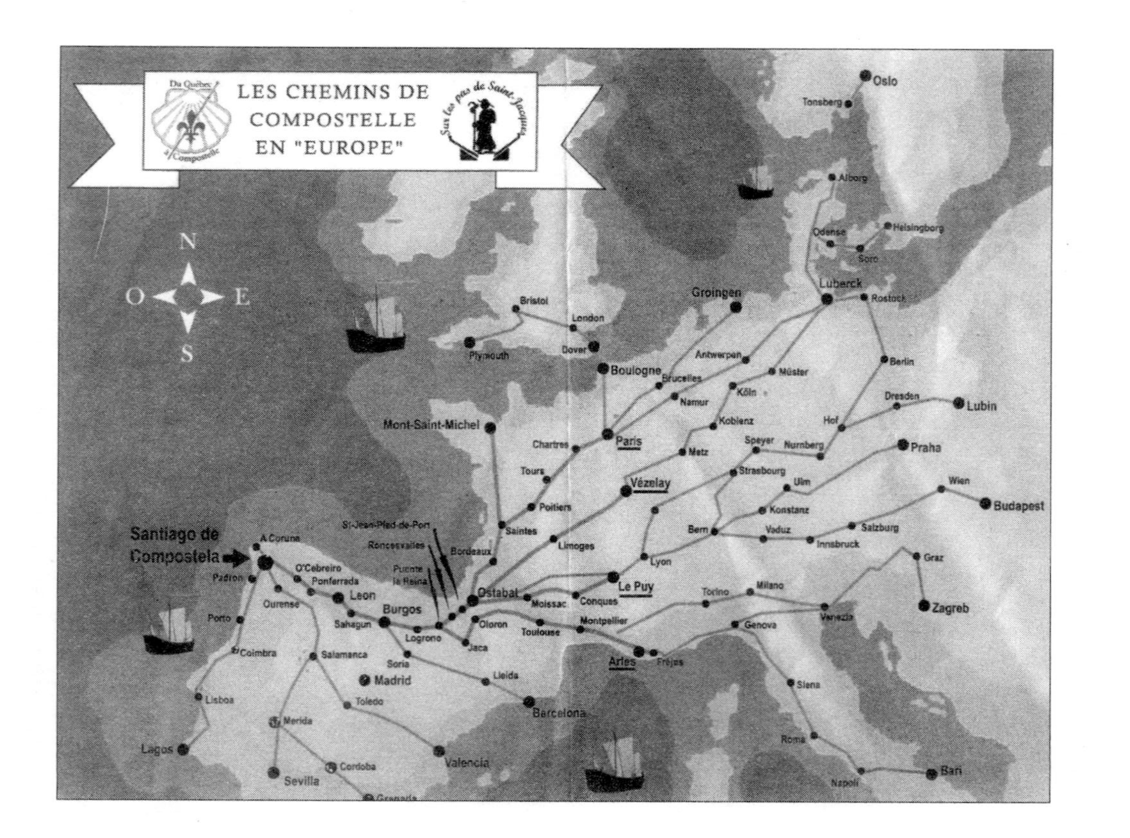
LES CHEMINS DE
COMPOSTELLE
EN "EUROPE"
Du Québec à Compostelle
Sur les pas de Saint-Jacques
N
O
E
S
Santiago de Compostela
A Coruna
Padron
O'Cebreiro
Ponferrada
Leon
Ourense
Sahagun
Burgos
Porto
Coimbra
Lisboa
Lagos
Salamanca
Madrid
Toledo
Merida
Sevilla
Cordoba
Soria
Logrono
Valencia
Lleida
Barcelona
Jaca
Oloron
Puente la Reina
Roncesvalles
St-Jean-Pied-de-Port
Bordeaux
Ostabat
Moissac
Toulouse
Montpellier
Conques
Le Puy
Arles
Fréjus
Saintes
Limoges
Poitiers
Tours
Chartres
Paris
Vézelay
Lyon
Mont-Saint-Michel
Bristol
London
Plymouth
Dover
Boulogne
Brucelles
Namur
Antwerpen
Groingen
Müster
Köln
Koblenz
Metz
Speyer
Strasbourg
Nurnberg
Ulm
Konstanz
Bern
Vaduz
Innsbruck
Salzburg
Wien
Budapest
Praha
Hof
Dresden
Lubin
Berlin
Luberck
Rostock
Odense
Soro
Helsingborg
Alborg
Tonsberg
Oslo
Torino
Milano
Genova
Venezia
Graz
Zagreb
Siena
Roma
Napoli
Bari

Introduction

Est-il encore possible de parler du Chemin de Saint-Jacques-de-Compostelle sans plagier les livres écrits sur le sujet ? Aimery Picaud, dès le XIIe siècle, rédige le premier *Guide du pèlerin*. Puis, en 1489, deux bourgeois flamands, Jean Tournai et son ami Guillaume, partis du nord de la Belgique, décrivent dans une langue truculente leurs multiples mésaventures survenues tout au long du parcours. Des décennies plus tard, l'Italien Laffi, de même que l'Irlandais Walter Starkie, chantent, chacun à sa façon, les beautés et les grandeurs de ce Chemin déjà célèbre à travers toute l'Europe. Au début du XXe siècle, un intérêt nouveau pour les Chemins de Saint-Jacques donne un second souffle aux recherches historiques et archéologiques qui aboutissent à de nombreuses publications. Tous ces textes savants m'invitent à me taire et une seule phrase habite mon esprit: «Je suis né trop tard dans un monde trop vieux...», comme le disait si bien au XVIIe siècle, La Bruyère, en guise d'introduction à son livre *Les Caractères*. Le geste le plus logique serait de fermer mon ordinateur et de me répéter: «Tout a été dit.»

Pourtant, des membres de ma famille, des amis de longue date, et même des gens rencontrés par hasard, à qui je parle du Chemin, ne cessent de m'interroger sur les différents moments de mon voyage. Je perçois, à travers leur insistance, le désir d'en connaître davantage au sujet de mes aventures sur ces sentiers remplis d'histoire. C'est donc à eux que je confie ce récit; aussi à ceux qui désirent tenter l'expérience, mais hésitent encore; je le confie également à ceux dont la santé est incertaine, qui ont toujours rêvé de marcher sur les traces de milliers de pèlerins avant eux, mais ne le peuvent plus maintenant. À chacune de ces personnes, je veux raconter mes journées en toute humilité et simplicité comme si elles déambulaient à mes côtés.

C'est finalement à toi, lecteur anonyme, mon frère, ma sœur, pèlerin éventuel du Chemin de Saint-Jacques-de-Compostelle, que s'adresse mon propos. Puisse ce périple te donner le goût de prendre le bâton, le sac et de partir sur les traces de milliers d'autres qui t'ont précédé.

Le Chemin

Le Chemin de Saint-Jacques-de-Compostelle trouve son origine dans la découverte du tombeau de l'un des douze apôtres, Jacques le Majeur, celui-là même qui a évangélisé l'Espagne après la mort de Jésus. Après des siècles d'oubli, l'ermite Pelayo découvre son tombeau en l'an 813. Dès lors, l'Église d'Espagne invite ses fidèles à se rendre auprès de celui qu'elle considère comme son fondateur. Mais le chemin est plein d'embûches. Les Maures, des arabes de la Mauritanie, venus du nord de l'Afrique et nouvellement convertis à l'Islam, ont envahi l'Espagne au début du VIIIe siècle et occupent encore la majeure partie de la péninsule ibérique. Il faut donc assurer la sécurité sur la route, ce qui veut dire: bâtir des forteresses et renforcer les frontières pour se protéger des Infidèles. Aux chevaliers français qui rêvent d'actions héroïques pour épater leur dame, le Pape et les évêques de la région demandent de venir prêter main forte aux soldats espagnols pour chasser les Maures de l'Espagne. Commence alors la *Reconquista*, c'est-à-dire la reconquête du territoire espagnol par les catholiques.

Au Xe siècle, le Chemin, déjà populaire en Espagne, se prolonge jusqu'à Puy-en-Velay, en France, quand en l'an 951, l'évêque du lieu, Mgr Godescalc, quitte sa ville avec une troupe de ses fidèles et se rend jusqu'à Saint-Jacques-de-Compostelle.

Le Chemin de Santiago, appelé dorénavant *le Chemin traditionnel*, connaît ses premières balises en France, tandis que du côté espagnol, il portera le nom de ceux qui l'ont rendu célèbre, *El Camino francés*. Les sentiers vont se creuser, d'année en année, par le passage de milliers de pèlerins. Les modifications apportées au cours des âges viennent de la construction de nouvelles routes, du développement de certaines villes, ou encore de la transformation géologique du terrain. Mais dans son ensemble, le Chemin conserve le tracé que lui ont donné les premiers pèlerins.

Au fil des ans, le Chemin s'enrichit d'églises, de monastères, de refuges et même de forteresses pour assurer la protection des fidèles qui se rendent au tombeau de saint Jacques. La ville de Santiago, en Galice, n'existait pas à l'époque de l'ermite Pelayo; elle est née et s'est développée, grâce à la venue d'un grand nombre de pèlerins qui remplissent ses murs chaque année.

Au Moyen Âge, trois grands centres de pèlerinages s'offrent aux catholiques romains: Jérusalem, Rome et Santiago de Compostela. Ce mot accolé à Santiago vient de l'expression espagnole *Campo de estellas*, le champ des étoiles.

Jérusalem, le lieu saint par excellence, est l'endroit privilégié vers lequel convergent les fidèles de toute la chrétienté. Malgré le fait que les armées romaines ont chassé les Juifs de Palestine plusieurs années après la mort de Jésus, ce pays où le Christ a vécu continue d'être un attrait irrésistible pour les chrétiens. Les grandes croisades organisées par le Pape et les rois catholiques témoignent suffisamment de cet intérêt.

Rome aussi attire les catholiques. Le Saint-Siège est considéré par bon nombre de fidèles comme le centre du monde. L'image de l'ancien empire romain n'est pas encore loin dans l'imaginaire des gens du Moyen Âge. D'ailleurs, à cette époque, le Pape est souvent appelé à jouer le rôle d'arbitre dans les conflits qui opposent les rois des différents pays catholiques, ce qui rehausse son prestige.

Santiago de Compostela, pour sa part, apparaît comme la ville au bout du monde. Les cartes géographiques de l'époque, encore imprécises, et souvent déformées, présentent la Galice, cette province de l'Espagne, et le Finistère, la pointe rocheuse qui s'avance dans l'océan Atlantique, comme la partie la plus à l'ouest du monde connu. Selon les croyances de l'époque, un gouffre immense entoure l'assiette terrestre et des monstres marins aux formes les plus horribles vivent à la périphérie de la mer. Personne n'ose s'aventurer plus avant sur ces océans mystérieux, de peur de tomber dans le Néant, le Grand Vide.

À la fin du Moyen Âge, de multiples chemins s'orientent vers Santiago. Cependant, quatre grandes voies canalisent en quelque sorte la majorité des pèlerins qui se dirigent vers la Galice.

La *via Turonensis* rassemble à Paris les jacquets, les pèlerins de Saint-Jacques, venus du nord et du nord-est. Le *grand chemin de Saint-Jacques* gagne, par Orléans et Chartres, le célèbre sanctuaire de Saint-Martin de Tours, ce qui lui vaut le nom de *via Turonensis*. Après le Poitou et le Saintonge, les pèlerins passent par Bordeaux, Blaye et Belin avant la traversée des landes et les hauteurs du col de Cize et de Roncevaux.

La *via Limovicensis*, quant à elle, regroupe dans la ville de Vezelay les jacquets qui viennent de Belgique, de Lorraine ou de Champagne. Cette voie entre alors dans le Limousin, dont elle porte le nom, pour atteindre Périgueux. Une fois franchies la Dordogne et la Garonne, ce chemin rejoint la première voie pour la traversée des landes.

Mgr Godescalc, évêque du Puy-en-Velay et premier pèlerin non espagnol à se rendre à Santiago, trace la *via Podiensis*, le chemin le plus célèbre et le plus connu en raison du grand nombre d'églises, de sanctuaires et de monastères qui jalonnent son parcours. Il franchit les monts d'Aubrac pour atteindre Conques et la vallée du Lot, parcourt le Quercy, Moissac, puis la Gascogne et rejoint les deux autres voies au carrefour de Gibraltar, au pays basque. Aujourd'hui, le chemin de Puy-en-Velay se confond avec le GR 65, un sentier des grandes randonnées pédestres de France. Aussi est-il balisé du début à la fin, et l'on y retrouve de nombreux gîtes qui peuvent abriter les marcheurs ou les pèlerins qui s'y aventurent.

Finalement, la *via Tolosana* ou *via Arletanensis* accueille dans la ville d'Arles les pèlerins qui viennent d'Italie, des Alpilles et de Provence. Elle sert également, en sens inverse, aux *romieux* venus d'Espagne ou de France, qui se rendent à Rome en empruntant, du côté italien, la *via Francigena*. Riche en histoire et unie par une même langue, celle des troubadours, cette région de France voit s'épanouir l'une des plus brillantes civilisations du Moyen Âge, comme en témoignent, à côté des vestiges de l'antiquité romaine, cités, monastères et églises romanes qui jalonnent le tracé de cette voie du sud, ainsi que les châteaux et les fiefs témoins de la tragédie cathare.

Liste des endroits où je me suis arrêté pour coucher

France		Espagne	
Puy-en-Velay	16 août	Roncesvalles	18 septembre
Monbonnet	17 août	Larrasoaña	19 septembre
Monistrol-d'Allier	18 août	Pampelune	20 septembre
Saugues	19 août	Puente la Reina	21 septembre
Domaine du Sauvage	20 août	Estella	22 septembre
Aumont-Aubrac	21 août	Los Arcos	23 septembre
Nasbinals	22 août	Viana	24 septembre
St-Côme d'Olt	23 août	Navarette	25 septembre
Estaing	24 août	Azofra	26 septembre
Golinhac	25 août	Grañon	27 septembre
Conques	26 août	Villafranca Montes	28 septembre
Livinhac-le-Haut	27 août	Atapuerca	29 septembre
Figeac	28 août	Tardajos	30 septembre
Cajarc	29 août	Castrojeriz	1 octobre
Limogne	30 août	Boadilla del Camino	2 octobre
Vaylats	31 août	Carrion de los Condes	3 octobre
Cahors	1 septembre	Terradillos de Temp.	4 octobre
Lascabanes	2 septembre	Sahagun	5 octobre
Lauzerte	3 septembre	Et Burgo Ranero	6 octobre
Moissac	4 septembre	Mansilla de las Mulas	7 octobre
St-Antoine	5 septembre	Leon	8 octobre
Lectoure	6 septembre	Villadangos	9 octobre
La Romieu	7 septembre	Astorga	10 octobre
Condom	8 septembre	Rabanal del Camino	11 octobre
Escoubet	9 septembre	Molinaseca	12 octobre
Nogaro	10 septembre	Villafranca de Bierzo	13 octobre
Barcelone-sur-le-Gers	11 septembre	O'Cebreiro	14 octobre
Arzacq	12 septembre	Triacastela	15 octobre
Arthez-de-Bearn	13 septembre	Barbadelo	16 octobre
Navarrenx	14 septembre	Portomarin	17 octobre
F. Bohoteguya	15 septembre	Palas de Rei	18 octobre
F. Gaineko	16 septembre	Ribadiso de Baixa	19 octobre
St-Jean-Pied-de-Port	17 septembre	Arca	20 octobre
		Santiago	21 octobre

Mon chemin

Un début incertain

En cet après-midi du 15 août 2001, un va-et-vient incessant anime l'aéroport de Dorval. De nombreux voyageurs circulent dans tous les sens, laissant peu de places disponibles pour partager paisiblement nos derniers moments. Micheline, mon épouse, est venue seule pour m'accompagner jusqu'à mon départ. Depuis quelques jours, je la sens inquiète, nerveuse et souvent préoccupée. Mon départ va créer un vide, difficile à combler. Cette absence de soixante-seize jours deviendra notre plus longue séparation, après trente ans de mariage.

Pendant que nous sirotons une boisson gazeuse, Lise et Adrienne, mes futures compagnes de voyage, arrivent. Lors de la bénédiction des pèlerins, le 7 avril dernier, à Cap-de-la-Madeleine, nous avions convenu de faire le trajet ensemble entre Dorval et Puy-en-Velay. Les salutations entamées, Adrienne m'apprend qu'elle ne sera pas du voyage, que des raisons de santé l'obligent à rester au pays. Je pars donc seul avec Lise.

Vêtu de mon accoutrement de pèlerin, chaussé de mes grosses bottes de marche qui n'ont pas trouvé place dans mon sac à dos, ma ceinture garnie de deux gourdes de 350 ml à mes côtés, je me sens un peu anachronique dans cet environnement coloré que constitue la faune d'un aéroport. L'avion n'est pas le véhicule de transport le mieux adapté pour un pèlerin, cependant, je dois trouver le moyen de faire suivre toutes les pièces de mon équipement.

L'heure du départ approche. Nous nous avançons vers la barrière, tandis qu'une phrase assassine trottine dans mon esprit, une phrase que les pèlerins d'autrefois répétaient au moment de quitter leur village. Cette phrase, je n'ose pas la prononcer à haute voix devant Micheline dont les émotions circulent visiblement à fleur de peau:

— Je reviendrai, si Dieu le veut.

Dernières accolades, dernières embrassades, je franchis les barrières en essuyant les larmes qui glissent sur mes joues.

L'avion s'apprête à décoller. En cette fin d'après-midi, le soleil encore haut inonde de ses chauds rayons les pistes de l'aéroport. Aucune panique dans l'appareil. Chacun fait soigneusement son nid, plus ou moins attentif aux bruits des moteurs qui ronronnent dans l'attente. Appuyé contre le hublot, je regarde les avions qui arrivent et repartent avec la souplesse de grands oiseaux.

L'idée de faire le Chemin de Saint-Jacques-de-Compostelle sommeillait dans mon esprit depuis mon adolescence. Durant mes études classiques, et plus particulièrement en parcourant l'histoire du Moyen Âge, j'avais appris l'existence de ce chemin. En 1986, dans les sentiers de montagnes de la région de Grenoble, ce désir avait refait surface. Je rêvais de partir pour un long périple avec bottines de marche, bâton et sac à dos. Il a suffi d'une seule conférence sur le sujet à l'université du Québec à Trois-Rivières pour tout déclencher.

Ce chemin existait bel et bien. Quelques livres récents en expliquaient l'histoire et fournissaient de précieux renseignements pour la préparation de la randonnée. Durant une année entière, je préparai mon voyage par un entraînement quotidien et la lecture de tout ce qui concernait Compostelle. Des rencontres avec d'anciens pèlerins et des conférences données aux membres de l'association des Amis de Saint-Jacques-de-Compostelle m'avaient permis de parfaire mes connaissances. Le 7 avril 2001, quand les pèlerins qui se proposaient de partir au cours de l'année se sont réunis au sanctuaire de Notre-Dame du Cap pour la bénédiction, je me sentais déjà prêt.

Mais dans les semaines qui ont précédé mon départ, ma détermination du début semblait se corroder. Le désir de faire le chemin s'amenuisait. Dans mon imagination, je me voyais suspendu au-dessus d'une masse nébuleuse en perpétuel déplacement, j'allais plonger dans un trou béant. Malgré mes lectures, je ne réussissais pas à me représenter le chemin. J'avais vu tant de photos, de diapositives sur les églises, les monuments historiques, les monastères..., mais le chemin, c'était le vide absolu. Cette longue aventure, en solitaire, sur les sentiers de France et d'Espagne, me semblait périlleuse.

Mais j'en avais tellement parlé à mes amis, à ma famille. J'étais victime de mon enthousiasme un peu naïf. Reculer m'était devenu impossible.

Soudain, j'entends le bruit des moteurs qui s'amplifie. L'avion commence à bouger. C'est le grand départ. Pendant que l'oiseau de métal roule sur la piste, je sens revenir la joie de partir. Puis, ses bras majestueux m'aspirent vers le haut. Mon chemin commence déjà. Les rues de Montréal disparaissent lentement en-dessous de nous. Seuls quelques nuages tachent ici et là un ciel bleu tout à fait radieux. Ma montre indique 18h30. Micheline a sûrement déjà quitté l'aéroport. L'homme à côté de moi fait semblant de dormir. Je me cale au fond de mon siège, sans aucune envie de lire, simplement rêver au Chemin qui s'en vient...

Un petit voyage des plus calmes. Au moment où nous arrivons au-dessus du sol français, une épaisse couche de nuages recouvre le nord de la France. Il pleut à Paris, nous annonce-t-on au micro. L'avion amorce d'abord la descente en douceur, puis traverse une épaisse couche d'ouate avant de toucher la piste. Il est 9h20 quand les moteurs s'arrêtent, me laissant plus d'une heure avant de reprendre l'autre avion d'Air France qui me conduira à l'aéroport Saint-Exupéry de Lyon. À la sortie, je retrouve Lise et nous nous mettons ensemble à la recherche de notre nouveau point de départ.

Les employés de l'aéroport se chargent de faire le transfert de nos bagages de l'avion à un autre. Vers 11h00, nous prenons place dans un avion plus petit qui s'envolera vers Lyon. Durant notre attente, la pluie a cessé et les nuages laissent filtrer quelques timides rayons de soleil. Nous arrivons à Lyon à 12h10, manquant par dix minutes à peine la navette qui devait nous conduire à Saint-Étienne. Nous achetons nos billets et nous profitons de ce répit pour prendre une bouchée, revoir notre trajet et échanger des informations. À 14h30, nous montons dans une navette (minibus) pour Saint-Étienne. À notre arrivée à la gare ferroviaire, lors de l'achat de nos billets, la proposée nous avertit de ne pas nous éloigner, car le train entre en gare. Ce branlant *tuf-tuf* de campagne, constitué de deux wagons seulement, nous offre une petite ballade fort agréable le long d'une rivière à travers villages et tunnels. Notre entrée dans le Massif Central.

À l'approche de la ville, je reconnais, sur les collines, la cathédrale Notre-Dame du Puy, la statue Notre-Dame de France et la chapelle Saint-Michel d'Aiguilhe. Aucun doute possible, nous arrivons à Puy-en-Velay. À la descente du train, j'ajuste mon sac, vérifie mes bottes, serre mon bâton de marche dans ma main droite et enfonce solidement mon chapeau sur ma tête, car un vent chaud monte du sud. Dorénavant, je serai un pèlerin, et cela, pour les prochains 2 000 kilomètres.

Avec Lise à mes côtés, je me dirige vers la cathédrale, le point de départ de notre pèlerinage. J'avais toujours rêvé de découvrir à pied un coin du pays de mes ancêtres. Ce pèlerinage m'en offre enfin l'occasion. Toutes mes lectures sur la France et l'Espagne, surtout celles faites au cours des derniers mois, vont sans contredit me servir de guide pour le long périple.

Les habitants de Puy-en-Velay sont des *podots*, parce que leur ville s'appelait en latin *podium*, mot associé à des pitons volcaniques que l'on peut encore apercevoir en s'approchant de la ville. Velay vient du nom de la tribu celte qui habitait la région, les Vellaves. Peu avant notre ère, les Romains s'installèrent sur le podium et y construisirent une forteresse juste au pied d'un piton étroit, le rocher Corneille. En 1860, l'armée française y fit ériger une statue de Notre-Dame de France avec la fonte de 213 canons de fer, pris à la Bataille de Sébastopol. Sur l'autre piton de 80 mètres de hauteur, l'évêque Godescalc, au Xe siècle, avait entrepris la construction de la chapelle Saint-Michel d'Aiguilhe. Puis, au siècle suivant, les habitants de la ville commencèrent à ériger leur cathédrale sur les ruines de l'ancienne forteresse romaine. Au fil des ans, à l'édifice principal, déjà imposant, vinrent s'ajouter un évêché, un grand séminaire, un couvent de religieuses et l'église gothique de Saint-Laurent, adjacente au monastère des Dominicains. Aujourd'hui encore, ces édifices étroitement reliés forment un ensemble qui domine la ville.

Arrivés aux pieds de l'escalier qui conduit à la cathédrale, Lise me fait remarquer que c'est ici même que commence le Chemin. Nous gravissons lentement les 138 marches qui nous mènent au portique de la cathédrale. Devant des portes verrouillées, nous faisons la connaissance de marcheurs avec sac à dos qui nous invitent à les suivre jusqu'à l'entrée du grand séminaire où ils ont réservé une chambre. L'homme qui les accueille accepte aussi de nous héberger dans le même établissement: notre premier gîte en terre française.

Comme il est déjà 18h00, Lise et moi décidons de faire un brin de toilette et de partir à la recherche d'un restaurant, car le grand séminaire n'offre le repas qu'à ceux qui l'ont réservé longtemps à l'avance. En me dirigeant vers la douche, je croise Alexa, une jeune Française des Ardennes, les cheveux encore tout humides, son linge de corps entre les mains. Dans ce couloir très sombre qui a vu défiler tant de moines les yeux baissés, la jeune fille me fait un long récit de son projet: elle part vers Santiago avec sa sœur pour réfléchir sur son avenir. À vingt ans, elle cherche un sens à donner à sa vie. La solitude du Chemin pourra l'éclairer; du moins, elle l'espère. Ce couloir trop sombre ne me permet pas d'admirer toute la beauté de cette jeune demoiselle, mais son projet, si bien énoncé, fait montre d'une belle maturité.

Dès 19h30, nous parvenons à un restaurant, en bas de la colline. La patronne, devinant que nous sommes des pèlerins, accepte de nous apporter le menu, malgré l'heure hâtive. Au cours du repas, Lise m'explique qu'elle veut passer une journée à Puy-en-Velay, prendre le temps de se reposer et visiter la ville avant de partir sur les sentiers. En cette soirée du 16 août, je mets du temps à trouver le sommeil. La fatigue du voyage sans doute, mais aussi tant de questions qui restent sans réponse. Pourtant, par ma fenêtre ouverte, me parviennent de très douces mélodies susceptibles de m'emporter dans les limbes de la nuit: les voix quasi célestes des moniales qui chantent les vêpres.

Je me lève tôt le vendredi matin. Pas question de manquer la messe à la cathédrale et la bénédiction des pèlerins. Un brouillard épais couvre la ville. Les quelques pas qui séparent le grand séminaire de la cathédrale réussissent à peine à me réveiller complètement. Une brume opaque m'enveloppe d'une douceur toute religieuse. Dans l'enceinte sacrée, une quarantaine de pèlerins ont déjà pris place, suivis de quelques fidèles qui, chaque matin, répètent ces gestes familiers. Deux religieuses africaines vêtues d'une longue robe bleue s'affairent autour de l'autel et assistent l'évêque du lieu. Malgré la somptuosité de l'édifice, la cérémonie se déroule dans la plus grande simplicité. À l'homélie, le représentant de l'Église, après un bref rappel de la valeur historique et religieuse du Chemin, nous invite tout simplement à bien profiter de cette occasion pour réfléchir, prier et s'ouvrir aux autres. Le chemin, dit-il, favorise avant toute chose une descente en soi, une quête de l'essentiel. Le message du prêtre se veut très large, très ouvert, le chemin accueillant des marcheurs de toutes les croyances.

Durant les quelques instants laissés vacants entre la messe et la bénédiction des pèlerins, qui va suivre, je prête l'oreille aux propos de mon voisin. Ce dernier me raconte qu'il a parcouru le chemin, deux ans auparavant, mais à maintes reprises, il a fait transporter son sac, pris des raccourcis et monté dans les bus. Bref, il avoue avoir triché. Depuis ce jour, il ne cesse de le regretter. Aujourd'hui, il part avec la ferme intention de franchir la distance de la façon la plus dure et la plus pure qui soit. Je n'ai jamais revu cet homme, mais son message s'est gravé profondément dans ma mémoire.

Après le petit déjeuner, je fais quelques appels téléphoniques pour me trouver un toit pour la prochaine nuit. Rien. Complet partout. Je confie mon problème à celui qui m'a accueilli hier, à la porte du grand séminaire. Dans un geste courtois, il me glisse un numéro de téléphone d'une maison de ferme à l'entrée de Montbonnet. Quelle chance! Il reste une place. Pour ma première journée de marche, un lit à la campagne m'attend à une quinzaine de kilomètres seulement.

À la sortie du grand séminaire, je ne sais quel désir bizarre m'a envahi: je décide de commencer mon pèlerinage en me rendant aux pieds de la statue de Notre-Dame de France. C'est un peu comme monter sur le mont Saint-Michel à Arthabaska avant de prendre une marche-santé. Malgré la mauvaise température, Lise accepte de m'accompagner. Le brouillard perd un peu de son opacité du matin et une pluie légère mais continue lave les marches et les pierres de ce sentier en pente abrupte. Ni la hauteur des lieux ni la difficulté de l'ascension ne peuvent me retenir, la statue de la Vierge, sur le mont Corneille, m'attire comme un aimant. Une visite plutôt brève! Avec les nuages bas, la pluie et le brouillard, je me rends compte que le paysage perd tout intérêt, c'est pourquoi la contemplation de la ville prend fin rapidement. Inutile de m'attarder. Le regard ne pénètre pas au-delà d'un kilomètre. Au pied de la Vierge, je décide de quitter Lise pour entreprendre mon chemin. Nous nous donnons l'accolade et nous nous souhaitons mutuellement bonne chance, au cas où il ne serait plus possible de nous revoir.

Je descends la centaine de marches qui conduisent au sommet du rocher, puis, les 138 marches devant le portique de la cathédrale et, pendant que je cherche la rue Saint-Jacques sur la place du Plot, une vieille femme toute courbée s'approche de moi, hésitante, met sa main tremblante sur mon bras:

— Mon cher monsieur, si vous allez à Santiago, profitez-en bien. Ce sont des jours bénis. J'y suis allée quand j'étais jeune, ce fut le plus beau voyage de ma vie.

Sur le coup de la surprise, je crois rêver. Qui est cette dame? Un ange envoyé du ciel? Je fais deux pas en arrière. Je ne vois pas les ailes. Je remercie la femme et lui promets de tenir compte de son conseil et de prier pour elle à Santiago. Je lui donne une petite bise et nous nous quittons avec le sourire.

Porté par ces paroles qui me réchauffent le cœur, je m'engage résolument sur la rue Saint-Jacques. La montée pour sortir de la ville exige un effort constant. Je peux alors ouvrir mon manteau, la pluie s'est complètement arrêtée. Au sommet de la colline, je me retrouve devant un sentier de petites roches de couleur ocre, alors que mon livre-guide indique plutôt: un beau sentier blanc. Heureusement, un marcheur arrive derrière moi et montre le sentier devant moi. Nous continuons donc tous les deux sur ce chemin où, à certains endroits, sous le gravier nouvellement posé, il est possible d'apercevoir quelques pierres blanches.

François, un directeur d'une petite maison de publicité à Paris, m'initie alors à la lecture des balises, ces petite marques qui me guideront sur tout le chemin français. Il faut parfois un œil de faucon pour percevoir du plus loin possible les deux traits, un blanc et un rouge, les balises qui identifient le sentier. Le poteau d'un panneau routier, une pierre en bordure du chemin et les troncs d'arbres qui jalonnent la route, tout peut servir de support à ces balises. Souvent celles-ci n'ont pas été repeintes depuis plusieurs années. Certaines pierres ont été déplacées lors de travaux routiers et l'écorce des pauvres arbres, comme celle des humains, a subi les affres du temps, leurs rides rendant la lisibilité presque nulle.

Reconnaître les balises s'avéra une tâche difficile, surtout pour un lunatique comme moi qui se laisse trop facilement emporter par sa rêverie. C'est pour cette raison que, dans mon titre *Mes 2 000 kilomètres sur les sentiers de Saint-Jacques-de-Compostelle*, je tiens compte de mes nombreux égarements dans la comptabilisation des kilomètres. Impossible de cacher la réalité, si j'additionne les multiples pas, tout à fait inutiles, sur des sentiers non encore explorés (expression que j'utilise pour expliquer mon errance, et qui déclenche, chaque fois, les rires de mes compagnons de marche) et si j'ajoute à cela les centaines de kilomètres supplémentaires à la recherche d'un toit, de la nourriture et des lieux pittoresques à visiter, ma promenade a dépassé, et de loin, les 2 000 kilomètres.

La quinzaine de kilomètres qui séparent Puy-en-Velay de Montbonnet s'étire sur un magnifique plateau de verdure. Pour une première journée de marche, cette promenade sur de beaux sentiers de campagne à travers champs me plaît au plus haut point. Seule la traversée du petit village Saint-Christophe-sur-Dolaison vient interrompre momentanément la monotonie. Les odeurs de la floraison, le calme, la douceur du marcher horizontal, tout me comble d'aise. C'est un peu à regret que j'aperçois au loin la petite église Saint-Roch, annonciatrice du village, un magnifique bâtiment du Xe siècle fait de pierres des champs et couvert de tuiles rouges.

Montbonnet, comme l'indique son nom, épouse la forme du bonnet de nuit que portaient autrefois les paysans par temps froid. Le bourg, situé sur une colline qui domine le plateau, attire le regard. Lors de la réservation, la dame m'avait dit que sa demeure se situait à égale distance entre l'église romane et le village. Impossible de me tromper, je reconnais la maison telle que décrite au téléphone: une grande maison de ferme avec une cour intérieure entourée d'un ancien muret de pierres sèches (des pierres sans mortier), qui s'ouvre sur de vieux bâtiments. La coquille Saint-Jacques sur le portique confirme mes certitudes. La jeune dame, propriétaire des lieux, m'accueille avec gentillesse et me conduit immédiatement à ma chambre. Oh! Surprise! Deux femmes, la mère et la fille occupent les deux autres lits. La patronne semble comprendre tout de suite mon hésitation. Dans les gîtes comme dans les maisons de ferme, me dit-elle, personne ne fait de distinction de sexe. Pas de problème, je peux vivre avec cette réalité. Lors des présentations, la plus âgée m'explique qu'elle a vécu au Québec peu après la naissance de sa fille, que son mari a dirigé un projet à Rimouski durant deux ans et qu'elle aime bien les Québécois. De fait, l'attitude de ces dames est fort sympathique et leur compagnie agréable, ce qui me permet de m'initier aux us et coutumes du Chemin, sans réelle tension.

Au cours du souper en famille, propriétaires et marcheurs réunis, je fais la connaissance du groupe. Il s'agit essentiellement de dix personnes qui marchent durant une semaine sur le sentier GR 65. Toutes, me dit-on, ont réservé plusieurs jours à l'avance, comme l'exige la prudence. Au milieu de ces marcheurs, je suis l'unique pèlerin qui se rend à Saint-Jacques. De plus, chacun s'étonne de me voir seul sur le sentier pour une si longue distance. Rien pour enlever mes propres craintes. Il n'en faut pas davantage pour que le sommeil tarde à venir.

Le lendemain matin, en descendant déjeuner, j'aperçois une pile de sacs à dos qui s'accumulent dans le hall. Je demande à François, le publiciste, des explications. Il me dit tout bonnement que chacun fait transporter ses bagages. La marche est ainsi plus agréable. Le jeune propriétaire arrive à l'instant et m'offre de joindre les miens aux autres. Il n'en est pas question. De plus, insulte suprême, chaque sac porte une coquille Saint-Jacques, question d'être admis plus facilement dans les gîtes des pèlerins. En un instant, je comprends la supercherie. Aussi, je n'attacherai jamais une coquille à mon sac, si belle soit-elle. Pour ne blesser personne, je déclare à mon hôte que je suis un pèlerin véritable et non un marcheur et que mon sac, comme un fidèle compagnon de route, va me suivre jusqu'à Saint-Jacques. Depuis mon retour, chacun, d'ailleurs, peut apercevoir mon sac à dos sur la majorité de mes photos.

Après un bon déjeuner, je quitte la maison de ferme avec Jean, un professeur de l'université de l'île La Réunion qui s'initie lui aussi aux sentiers de la France. Cet homme volubile tient généralement un propos qui ne manque pas d'intérêt. Les sujets les plus divers coulent sur ses lèvres avec une verve intarissable. À la sortie du village, des chants cambodgiens occupent son esprit. Durant sa jeunesse vécue au Cambodge, il a emmagasiné dans sa mémoire des airs inconnus et bizarres qu'il entonne avec des sons gutturaux qui l'enchantent. J'écoute pendant un certain temps le fruit de ses expériences, puis nos pas nous distancent l'un de l'autre et, pendant que je dévale la colline, j'entends encore cette voix puissante aux accents venus d'ailleurs, qui clame avec force, dans mon dos, la beauté du paysage.

De Montbonnet à Monistrol-d'Allier, au cœur du Massif central, le sentier se balade à travers un paysage rempli de cônes volcaniques. Nous passons sans transitions des collines abruptes aux parcelles communales de prairies, ou à des vallées profondes qui ressemblent souvent à des gorges. Finis les grands espaces plats.

Juste après la ferme La Baraque, le pèlerin se retrouve au cœur d'une petite chaîne de collines faites de cônes de scories, le long d'une fracture où, 600 000 ans plus tôt, serpentait une coulée de lave. Puis, à moins d'un kilomètre, un sentier boueux nous conduit au lac de l'Œuf, une tourbière à la flore typique au milieu de grands pins. À la sortie de la forêt, après le hameau Le Chier et la ferme de Piquemeule, le randonneur aperçoit au loin la magnifique petite ville de Saint-Privat-d'Allier. Avec son église gothique et son ancien château des Templiers, cette ville très pittoresque servait jadis à surveiller la circulation sur la rivière l'Allier qui coule à ses pieds dans la vallée profonde. Cette cité médiévale est construite sur un piton rocheux au bord de la falaise, ce qui lui donne fière allure. Du belvédère en face du château, le pèlerin peut apercevoir l'étroite vallée où serpente la rivière. Le chemin, heureusement, ne descend pas au fond de cette gorge. Il poursuit plus au nord à travers des collines couvertes de conifères et deux étroites prairies avant d'atteindre Monistrol-d'Allier et là, traverse la rivière.

Pour y parvenir, un sentier sinueux et étroit descend en lacets le long de falaises souvent abruptes jusqu'au fond de la vallée. L'aventure exige de l'attention, surtout avec un sac de dix kilos sur les épaules. En cet avant-midi, je n'ai toujours pas trouvé une seule boîte téléphonique qui fonctionne. Depuis l'arrivée du téléphone cellulaire, le portable comme on dit en France, les appareils dans les boîtes téléphoniques sont souvent laissés à l'abandon. C'est particulièrement vrai dans les petits villages éloignés des grands centres. Dans la ville, je trouve une cabine près du pont. Quatre jeunes Français attendent leur tour pour ce qui semble être la seule boîte du coin. Je fais donc la file. Quand vient mon tour, je passe quatre ou cinq appels à partir des numéros que je possède. Rien. Complet partout. Nous sommes le samedi après-midi. Tous les commerces sont fermés pour la fin de semaine. Il me paraît risquer de m'aventurer plus avant. En descendant la colline, j'avais aperçu un petit hôtel, un peu en retrait, qui se cachait derrière quelques grands arbres. Je rebrousse chemin et reviens vers l'établissement. L'hôtelière me reçoit avec amabilité. Quarante dollars pour le coucher et le petit déjeuner me semblent un tarif fort convenable. Et de plus, je peux souper sur place à un prix très raisonnable. Je m'installe donc pour y passer ma deuxième nuit.

Après les tâches ménagères (douche, lavage et séchage du linge), je me balade dans la petite ville durant l'après-midi. Je croise quelques marcheurs mais aucun pèlerin. Les émules de saint Jacques doivent voyager sur une autre planète. Vers cinq heures, attablé au bar pour boire un demi (une bière blonde), un vieux monsieur, marcheur lui aussi, s'assoit à ma table. Âgé de soixante-douze ans, marié depuis cinquante-deux ans, il me raconte qu'il n'a jamais quitté sa femme plus de vingt-quatre heures. Cette promenade sur les sentiers est un essai, affirme-t-il. Si ce dernier s'avère concluant, il fera le chemin de Saint-Jacques, l'an prochain. Mais il n'est pas sûr que son corps fatigué va lui permettre de faire cette extravagance. Au fil de la conversation, je lui parle de mon problème: la difficulté à trouver un gîte. Il me donne un conseil judicieux que je vais tirer de l'ombre chaque fois qu'une difficulté surgira: la France est grande, dit-il, tout le monde peut y trouver son nid. Les Français ont l'habitude d'aller dans les grands gîtes indiqués dans leur livre-guide. Il suffit de chercher entre ces villes, en dehors des guides. Les maisons de ferme, les tables d'hôte, les gîtes équestres, autant d'établissements accueillants où il fait bon s'arrêter. Son précieux conseil me suivra tout au long du chemin français.

Comme j'entre dans la salle à manger pour le souper, trois marcheurs déjà attablés m'invitent à m'asseoir avec eux. Ce sont un couple d'Autrichiens et une Italienne que j'ai rencontrés quelques fois au cours de la journée. Tous trois ont fait le *Camino francés*, l'an dernier, en Espagne, et désirent compléter cette année la portion française du chemin. Nous essayons d'abord de nous exprimer en français tous les quatre; c'est laborieux, les Autrichiens connaissent peu ma langue. Un peu d'anglais, peut-être? Rumina, la dame italienne, comprend difficilement ce parler. Finalement, l'espagnol nous convient mieux. Aussi, adoptons-nous cette langue pour le reste du repas. Le souper se déroule dans la plus grande cordialité.

Dimanche matin, un soleil radieux éclaire le sommet de la montagne, laissant la vallée dans l'ombre, au moment où j'entreprends avec enthousiasme la montée vers Saugues. Le restaurateur m'a prévenu avant de partir: cette pente raide qui exige un effort soutenu est l'une des plus difficiles de tout le chemin de Saint-Jacques. C'est un fait. À partir de la rivière, le chemin grimpe sans arrêt et atteint le plateau de Gévaudan à Métaure,

1022 mètres plus haut. Je passe donc sur le pont neuf, car le vieux pont romain qu'utilisaient les pèlerins du Moyen Âge, est aujourd'hui en bonne partie détruit. Il nourrit seulement les appareils photos des touristes. Pour la première fois, les conseils de François, ma première rencontre à la sortie de Puy-en-Velay, vont me servir: monter lentement, à petits pas, sans jamais m'arrêter. Sa méthode ne manque pas d'efficacité. À mi-montée, la chapelle de la Madeleine, creusée dans le flanc de la montagne à même une grotte de basalte, témoigne du passage de milliers de marcheurs, à cause des nombreuses pièces de monnaie trouvées dans les interstices du roc. Certains croient également que cette grotte était un ancien habitat celtique. De cet endroit, le point de vue sur la vallée de l'Allier est absolument magnifique.

J'arrive au sommet, relativement en forme, ayant laissé en route bien des marcheurs qui cherchaient désespérément leur souffle. Mon entraînement, avant de quitter le Québec, y est sûrement pour quelque chose. À Montaure, je découvre un large plateau, celui du Gévaudan. La vue s'étend sur toute la région. Du côté Est, le pèlerin peut contempler la vallée de l'Allier qui descend vers le sud, du côté Ouest, le plateau se prolonge vers Roziers jusqu'à Saugues. Ce sentier en direction du Domaine du Sauvage, haut lieu des anciens soldats Templiers, se parcourt en toute aisance à cause de sa surface plane. Une légende du XVIIIe court en France, celle de la bête du Gévaudan. D'ailleurs, dans ce coin de pays, l'image du monstre à la gueule géante et aux quatre pattes velues est quasi omniprésente. Même un parc lui est consacré à l'entrée de Saugues.

La légende veut que, dans la région de Saugues, rôdait une bête qui semait des méfaits partout. Un grand loup solitaire..., pensait-on. Un ou plusieurs loups peut-être. L'animal s'attaquait aux femmes, aux fillettes... Les personnes touchées étaient retrouvées en partie dévorées, souvent la tête séparée du corps.

Les morts ne cessaient de se multiplier. La panique s'était emparée de toute la contrée. Les femmes ne voulaient plus sortir de leur maison. La nouvelle se répandit jusqu'à la Cour. Le roi Louis XV crut bon d'intervenir. Il envoya ses meilleurs chasseurs qui se joignirent à de jeunes volontaires du Gévaudan. Le 20 septembre 1765, Monsieur Antoine, le lieutenant de chasse du Roi, ramena à la Cour un gros loup empaillé. La Cour applaudit et fit une fête au lieutenant du Roi. Cependant, dans la région, les morts ne cessaient d'augmenter. Un chasseur de Saugues jura sur le portique de l'église qu'il tuerait la Bête. Il fit fondre des balles avec les médailles recueillies auprès des paysans locaux et se mit à la recherche de la Bête. Un soir, à la brunante, il entendit les cris d'une jeune fille dans le boisé derrière chez lui. Il accourut sur les lieux, s'approcha silencieusement de l'endroit d'où venait l'appel de détresse. Un homme était en train de violer une jeune fille, une peau de loup étendue à ses côtés. Il n'hésita pas un seul instant, il abattit l'homme d'une balle en plein front, sauvant ainsi la vie de la jeune fille. Informés de l'événement, les villageois accoururent en grand nombre, amenèrent le corps de l'homme sur la place centrale qu'ils jetèrent sur un bûcher qui le consuma à l'instant. Aucune mort suspecte ne se produisit par la suite. La Cour ne voulut rien savoir de cet événement. C'est pourquoi la légende a survécu aux faits réels et demeure bien présente dans l'histoire de la France.

Ce dimanche midi, impossible de réserver une place, personne ne répond à mes appels, j'arrive donc à Saugues sans réservation. À l'entrée de la ville, je croise Jean, l'homme de soixante-douze ans, qui vient de descendre d'un taxi. Monter la côte exigeait trop de ses vieilles jambes, me dit-il dans un sourire. Il m'invite alors à prendre un verre sur la terrasse d'un petit hôtel car, selon son propos, il aime bien parler avec des Québécois. Quand le garçon vient chercher le prix de la consommation,

Jean s'informe si une chambre est disponible. Et oui, bravo! Un lit m'attend. En fin d'après-midi, au retour d'une visite en ville, arrivent le couple d'Autrichiens et Rumina, la dame italienne. Nous sommes à nouveau réunis dans le même hôtel pour le souper et le coucher.

Saugues, la ville la plus importante de la région, offre de nombreux services. Au cours de l'après-midi, je m'informe auprès des gens de l'endroit au sujet de l'utilisation de l'internet. J'ai promis à mes amis du Québec de les renseigner sur mon chemin; je veux tenir parole. Une jeune femme, au courant des rouages administratifs de la ville, affirme avec certitude que la mairie dispose d'ordinateurs à cette fin, je n'ai qu'à me présenter le lendemain au dit lieu à 8h30. Heureux comme un moine, je me présente lundi matin à 8h45 devant la porte principale. La secrétaire arrive vers 9h15. Je lui laisse le temps de s'installer pour ne pas l'indisposer, puis je me pointe à son bureau. Avec gentillesse, elle m'explique que ce n'était pas possible à la mairie, mais que je trouverai les ordinateurs en question à l'Office du tourisme. Je remets mon sac sur mes épaules et je pars vers cet établissement sans plus tarder. Sur place, avec amabilité, la secrétaire me confirme qu'elle dispose effectivement d'un ordinateur capable d'envoyer un message au Canada, mais qu'il faut auparavant me munir d'une carte téléphonique à puce que je trouverai à la poste à l'autre extrémité de la ville. Donc, reprise du sac, petite marche à la poste, achat de la dite carte, et retour à l'Office du tourisme.

Encore avec amabilité, elle met sa machine en marche, laisse l'unité centrale prendre de la vigueur, insère ma carte. Je peux enfin commencer à jouer du clavier. Au fur et à mesure que j'écris, les points sur ma carte s'envolent à vue d'œil, ce qui nuit légèrement à ma concentration. Voyant la fin de ma carte approcher, je décide de mettre fin à mon texte et de l'expédier au Canada. Avec empressement, puisque je suis son seul client, cette fille bien intentionnée s'approche pour m'offrir son aide. En deux temps trois mouvements, ses doigts de fée effleurent le clavier. Mon texte disparaît de l'écran et s'envole au ciel, aux pieds de saint Jacques. Plus de texte! Elle a tout effacé! Fini! Rien du tout! En bon pèlerin, je la remercie tout de même. Pour toute excuse, elle m'explique que la sensibilité de cet appareil rend sa maîtrise très difficile. Entre temps, ma carte téléphonique de 10,00 $ s'est vidée de son contenu et mon texte repose dans les limbes. Et pour comble de malheur, à la sortie de l'Office du tourisme, il pleut. Rien de bien abondant, mais une pluie continue.

Avant de quitter la ville, je passe à nouveau au bureau de poste pour me procurer une autre carte téléphonique. J'en profite pour appeler au Domaine du Sauvage. Bravo! Une place m'est réservée. Je peux donc prendre tout mon temps. Mon président d'association m'a souvent parlé de cet endroit particulier, je ne veux pas rater l'occasion d'y passer une nuit. Toute la journée, je marche sous la pluie. Je devrais dire *nous*, car le hasard a voulu que je croise cinq ou six fois le couple d'Autrichiens et sur une longue distance, Rumina, la dame italienne, m'accompagne. Elle me parle beaucoup du *Camino Francés*, en Espagne et me donne vraiment le goût d'y aller. Le sentier assez large, mais souvent humide et boueux, serpente à travers des collines rocailleuses ou une forêt de hêtres clairsemée. Au moment de contourner les ruines du château La Clauze, le brouillard enveloppe le sommet du pic rocheux. Impossible de voir quoi que ce soit des restes du célèbre château.

À Chanaleilles, dernier village avant le Domaine du Sauvage, je retrouve Jean, l'homme aux conseils précieux, assis près de la fontaine. Sa mine déconfite laisse voir qu'il est rendu au bout de son rouleau. Non seulement il est trempé jusqu'aux os, mais son vieux corps, comme il l'avoue, ne veut plus avancer. Adieu le

Chemin de Saint-Jacques-de-Compostelle! C'est une aventure pour les jeunes, me dit-il, l'air triste. Sous la pluie, nous nous donnons l'accolade. Je serre très fort dans mes bras ce Français que j'aimais de tout cœur. Je lui promets de penser à lui en arrivant à Santiago. Et pour terminer, il ajoute que ce soir, il couche à l'hôtel et que sa fille va venir le chercher demain matin. Son abandon m'attriste grandement, cet homme méritait davantage. Je sors du village, une boule dans l'estomac.

La rencontre d'un bon chien me ramène le sourire. Dès que l'animal me voit, il part à la recherche d'une pierre. Il en trouve une de la grosseur d'une tomate, la met dans sa gueule et me l'apporte en courant. Tout en le flattant, je prends gentiment sa pierre dans mes mains et je continue à marcher, en compagnie du chien. Après plus d'un kilomètre, l'animal marche toujours fidèlement derrière moi, je me retourne vers lui et lui dis qu'il ne peut pas venir à Santiago, il n'a pas de sac. Le pauvre animal me regarde avec ses deux grands yeux hébétés. Puis, soudain, je crois qu'il comprend, il fait volte-face et part en direction opposée. Dès qu'il disparaît de ma vue, je lance sa pierre dans le fossé. L'âme d'un malheureux pèlerin habite sûrement le corps de cet animal. Une tradition veut que chaque pèlerin apporte une pierre de son patelin au pied de la Croix de Fer, juste avant d'arriver à Santiago. Un pauvre pèlerin qui n'a jamais pu se rendre au bout de son pèlerinage!

Peu après, à l'entrée d'une forêt, un attroupement attire mon attention. Une dizaine de marcheurs sont regroupés autour d'un jeune homme étendu par terre. Je m'approche du groupe. Un homme m'explique qu'il s'agit d'un jeune soldat de l'armée française. Il était parti de Puy-en-Velay samedi matin, avait fait des étapes de trente-huit et quarante-deux kilomètres avec un sac de dix-huit kilos. Là, il vient de craquer. Le jeune homme se tord sur le sol, dans cette boue fangeuse, en proie à des crampes qui le tenaillent dans tout le corps. Des ambulanciers alertés d'urgence s'en viennent en toute hâte. Je poursuis mon chemin. Que puis-je y faire? Je devine que ce jeune homme n'a pas su mesurer ses forces. Si jeunesse savait...

Peu après, la clairière du Domaine du Sauvage s'ouvre devant moi. Les Autrichiens me rejoignent au même moment, mais ils ont déjà réservé une chambre dans un hôtel à Saint-Alban. Nous allons nous revoir sur le chemin, demain.

Le Domaine du Sauvage demeure un site splendide. À 1292 mètres d'altitude, isolée au sommet de la Margeride, face à une large vallée orientée vers le nord, cette ancienne *domerie* des Templiers comporte des bâtiments en pierre de taille au bord d'une forêt bien aménagée. Une *domerie* au Moyen Âge, c'est essentiellement un endroit pour entreposer de la nourriture et des objets essentiels pour les pèlerins. Les Templiers, en plus d'être des soldats protecteurs des passants, dirigeaient aussi de grands domaines pour alimenter ceux qui demandaient leur assistance. On trouve de ces *domeries* tout au long du chemin traditionnel. Le Domaine du Sauvage est le premier en liste à partir de Puy-en-Velay.

Pendant que j'avance vers la colline, mes yeux restent rivés vers l'édifice majestueux. La vaste clairière éclaire l'ensemble des bâtiments L'accueil sympathique des responsables du gîte est teinté de nervosité. J'apprends, par une jeune fille qui s'occupe de mon inscription, que l'endroit est monopolisé par un groupe de Parisiens qui veulent s'y installer en maîtres. L'animosité des responsables du gîte est palpable. Ces gens n'apprécient pas l'attitude de ce groupe venu là pour faire la fête. Encore une fois, je suis le seul pèlerin présent dans un gîte pour pèlerins. Au souper, on me fait une maigre place au bout de la table, sans trop me porter attention. La fête bat son plein, et les préposés au gîte se tiennent à distance. Isolé dans mon coin, je monte me coucher tôt. Selon mes habitudes, je veux partir aux premières heures du matin.

À six heures et demie, je me lève sans faire de bruit. Personne ne bouge dans le dortoir. Pendant deux heures, je fais mes exercices physiques, je marche autour du site, je lis quelques pages de mon guide, avant que les premières personnes ne se manifestent. J'ai payé mon déjeuner, je tiens à le prendre. Dehors, la pluie a cessé, mais un épais brouillard couvre la montagne. À huit heures et trente, quelqu'un apporte du pain et des confitures. Je prends une bouchée en vitesse et, sans attendre le café, je ramasse mon sac, mon bâton et je sors. Le brouillard commence à peine à se dissiper. Pour les dix premiers kilomètres, le sentier chemine dans une belle forêt de pins. Je marche ainsi tout l'avant-midi, sans rencontrer personne.

À midi, je déniche une cabine téléphonique à l'entrée de la petite ville de Saint-Alban-sur-Limagnole. Comme auparavant, la réponse est la même: le gîte est complet. Fort heureusement, une maison de ferme à la sortie du village accepte de me recevoir. Toutefois, la table étant remplie, je devrai m'alimenter ailleurs. Pas de problème, je connais la chanson. Je reprends mon chemin presque seul sur la route au milieu de grands sapins clairsemés qui favorisent mes réflexions. Malgré quelques égarements à l'occasion, ces vingt-huit kilomètres fondent comme du beurre dans la poêle. Cependant, les déboires de la nuit dernière ont porté un dur coup à mon enthousiasme. Le moral ne m'habite plus. Je pense sérieusement à quitter le chemin. Qu'est-ce que je suis venu faire ici? Cette phrase martèle mon esprit sans arrêt. J'ai tellement rêvé à ce chemin en termes de partage, de fraternité, de connaissances des autres. Mon pèlerinage n'a plus aucun sens. Il vaut mieux mettre un terme tout de suite à une expérience qui n'a ni queue ni tête.

La tête pleine de ces conclusions, j'arrive à la ferme Du Barry, à Aumont-Aubrac, en même temps que six jeunes Français. Parmi eux, Véronique, une jeune fille venue au Québec, l'an dernier, qui conserve le meilleur souvenir de son passage chez nous. Chaque fois que nos pas se croisent, elle ne manque jamais de m'adresser la parole. Je suis devenu familier avec tout le groupe qui manifeste beaucoup d'attention à mon endroit.

Après mes tâches habituelles, pour me reposer de mes kilomètres, je vais m'asseoir à la terrasse d'un bar pour y prendre une bière, tout en rédigeant mes notes. Le groupe de Parisiens que j'ai quitté le matin au Domaine du Sauvage arrive en bloc et s'empare de toutes les chaises disponibles. Une jeune dame qui m'a reconnu se détache du groupe et vient me rejoindre. Elle veut venir au Québec et s'informe de la vie chez moi. Une agréable conversation. Avant de me quitter, elle m'explique qu'ils sont un groupe d'amis de la région parisienne qui prennent une semaine de vacances dans le pays de leur enfance. Ils marchent quelques heures le matin, s'arrêtent au bar vers 11h00, prennent un bon dîner à 12h00 et repartent sur le sentier pour faire une petite sieste en campagne. Naturellement, des membres du groupe voyagent en voiture, transportent les bagages. Je ne leur en veux pas. Ils sont chez eux et ont le droit de prendre leurs vacances comme ils l'entendent. Nous nous sommes quittés en bons termes.

Pour le souper, la situation s'avère plus pénible. Un seul restaurant ouvre ses portes et toutes les chaises sont occupées au moment où je me présente. Je demande alors au patron si je peux avoir une autre table. Sa réponse est claire: c'est non. Complet partout, je peux le voir de mes propres yeux, je n'ai qu'à revenir le soir suivant. Je m'attarde un instant, traîne les pieds. Au passage de la patronne, je lui mentionne que je suis Québécois, pèlerin de Saint-Jacques, et qu'il n'y a pas d'autres restaurants.

Elle me répond avec un sourire qu'elle ne va pas laisser un Canadien mourir de faim. Elle m'indique une table dans le coin du bar.

À peine suis-je attablé depuis quelques minutes que le couple d'Autrichiens et Rumina d'Italie arrivent, à la recherche eux aussi d'un restaurant. Je les invite à s'asseoir avec moi. Cependant, le menu tarde à venir, mais cela ne dérange personne. Nous avons tous des figures de croque-mort. Notre rencontre ne tourne plus à la fête, chacun parle d'abandonner. En fait, je crois que la décision est prise, mais personne n'ose l'avouer ouvertement. Puis, finalement, en français, en anglais, en espagnol ou en italien, chacun à tour de rôle vide son sac et livre ses motifs d'abandon.

L'atmosphère du Chemin ne nous plaît plus. L'enthousiasme du début a cédé la place à une surprenante déception. Le couple d'Autrichiens a téléphoné à leur fille à Montreux, qui va venir les chercher demain. Ils vont terminer leur séjour en France en écoutant des concerts avec leurs deux grands adolescents. Rumina prend le bus demain, elle va rejoindre une amie à Lyon. Moi, je tiens à parcourir l'Aubrac. Dans deux jours, je prends le train pour Roncevaux. Fini le Chemin en France. Avant de nous quitter, nous nous donnons l'accolade, la mine triste, déçus de mettre fin à nos rêves. En sortant du restaurant, je croise Alexa et sa sœur, assises sur un petit muret de pierres. Leurs yeux rougis par les larmes traduisent déjà leur déception. Je m'arrête auprès d'elles. Leurs pieds, couverts de larges plaies qu'elles laissent sécher à l'air libre pour en favoriser la guérison disent toute la souffrance qu'elles ont endurée ces derniers jours. Fini le Chemin pour elles aussi ! Envolé le beau rêve !. Je serre dans mes bras ces deux jeunes filles bien aimables et je regagne la ferme, la mine bien basse.

Pendant que je me brosse les dents dans l'unique salle de toilettes, Véronique arrive à mes côtés pour partager le même évier, en petite culotte et soutien-gorge. La promiscuité des gîtes ! Elle vient se passer «une main» (ce que nous appelons une débarbouillette, mot qui fait bien rire nos cousins), avant d'aller se coucher. Pendant qu'elle range ses effets près de mon lit, car elle couche juste au-dessus de moi, je lui laisse entendre que je quitte le chemin dans deux jours, après l'Aubrac. Elle mentionne que son groupe va quitter en même temps que moi. Ils sont venus marcher une semaine et quittent dans quarante-huit heures. Nous allons donc tous partir ensemble.

Une rencontre providentielle

En ce 22 août, désireux de bien profiter de mes deux dernières journées en France, je quitte la ferme en compagnie de deux hommes, le père et le fils. L'un habite Saint-Ismier, l'autre Montbonnot, le village voisin. Je connais bien cette région des Alpes françaises pour y avoir passé un an, en 1986, avec ma famille. Ces deux bourgs de la vallée de l'Isère laissent encore dans ma mémoire de très beaux souvenirs. Au moment de m'arrêter pour réserver un toit, le plus jeune sort son portable, fait un appel. Pas de problème ! Un lit est réservé à Nasbinals dans le gîte communal. Quelle gentillesse !

Depuis deux jours, le sentier pénètre progressivement dans les contreforts des monts Aubrac. Les pentes restent douces, mais elles n'offrent aucun répit, étant continuellement ascendantes. Ce matin, le soleil me paraît plus chaud que d'habitude. Mes compagnons de marche qui ont écouté la radio hier me disent que les météorologues annoncent une période de canicule. Au cours des prochains jours, la température pourrait se maintenir au-dessus de 30 degrés, surtout en après-midi. Pour l'instant, nous traversons une sapinière plutôt dense. Cet environnement forestier exhale un doux parfum et la marche silencieuse dans les sous-bois charme tout bon marcheur.

Une vache m'attend dans un détour, l'œil triste, la mine basse. Que fait-elle sur ce sentier boisé ? De plus, elle a de la famille: trois jeunes veaux se tiennent près d'elle. Dès que je la dépasse, elle se met à me suivre. Encore une autre qui veut se rendre à Santiago! Après quelques cent mètres, je m'arrête, me sentant coupable de l'amener loin de son pâturage. J'ai beau lui crier de s'arrêter, de rebrousser chemin. Je lui fais toutes sortes de grimaces pour l'éloigner. Elle me regarde de son œil hébété et mes pitreries la laissent complètement indifférente. Une vraie entêtée! À l'instant où je reprends la marche, j'entends ses pas derrière moi. Elle me suit ainsi sur plus d'un kilomètre. Le plus drôle, c'est que nous allons exactement au même rythme. Heureusement, en débouchant sur un pré, elle rencontre une consoeur. Les deux vaches se donnent la bise. Et ma pèlerine s'arrête là. Un autre abandon!

Vers 10h30, j'arrive à une croisée de chemins où un message écrit à la main sur une planche de bois annonce un petit bar. Un café chaud me fera du bien, me dis-je. Une belle occasion pour remplir mes gourdes. Avec cette chaleur, vaut mieux être prudent. Sur la terrasse, un groupe de marcheurs entoure une jeune fille, bloquant ainsi l'entrée du bar. Il s'agit d'une Espagnole et personne ne semble la comprendre. Je m'adresse à la jeune fille. Je saisis difficilement qu'elle désire du fromage et du jambon pour mettre sur son pain, car elle n'a rien d'autre pour dîner. Elle s'exprime avec tellement de difficultés, une partie de sa bouche ne bougeant pas du tout. Comme elle n'a pas d'argent, je donne dix francs à la dame du bar pour qu'elle lui prépare un sandwich à son goût. Après quelques mots de remerciement, un léger sourire aux lèvres, elle ramasse son sac qui paraît peser lourd et repart aussitôt. La jeune fille partie, les gens réunis dans le bar ne parlent que d'elle. Que fait cette étrangère seule sur le chemin? Comment peut-elle bien avancer avec un tel handicap? Car chacun a pu voir à quel point elle boitait quand elle a repris le sentier.

Vers midi, je retrouve la jeune Espagnole, assise sur le bas-côté du chemin. Elle pleure abondamment. Elle me montre les ecchymoses sur sa jambe, sur sa hanche, qui saignent légèrement. Elle vient de tomber pour une troisième fois et ses blessures la font beaucoup souffrir. Je mets un diachylon sur les deux plaies pour éviter que des moustiques viennent les abîmer davantage. Elle commence alors à me raconter son histoire. Elle s'appelle Felice et vient de la région de Barcelone en Espagne. Trois ans plus tôt, elle a perdu toute sa famille dans un accident d'auto. Seule survivante, elle a passé de longues semaines sous respirateur artificiel. À son réveil, elle s'est rendu compte qu'elle avait perdu la mémoire. À ce moment-là, elle ne désirait qu'une chose: mourir. Mais des médecins l'en ont empêché. Ils ont refait complètement sa figure, grâce à de nombreuses opérations de chirurgie plastique. Son genou gauche ne peut se plier et sa jambe est remplie de tiges de métal. Son bras gauche lève à peine plus haut que l'épaule et sa main est incapable de retenir fermement un objet. Cette moitié de la figure encore paralysée rend son élocution très difficile. Tout l'après-midi, nous marchons côte à côte, sous un soleil de plomb, dans un sentier rocailleux où il faut constamment utiliser le bâton, puisque les roches roulent sous nos bottes

Grande, de carrure sportive, les cheveux noirs un peu crépus, les traits du visage fins et réguliers, cette belle fille en position arrêtée ne laisse nullement deviner la paralysie qui l'accable. Avec son petit *short* rose, son chandail qui couvre sa poitrine et ses épaules, elle ressemble aux jeunes Françaises élégantes qui marchent sur le sentier. Felice ne se plaint jamais, même si des larmes coulent constamment sur ses joues. De temps en temps, je m'arrête et j'essuie les côtés extérieurs de ses yeux, tellement le chemin de ses larmes laisse des traces sur ses joues. Quand elle n'en peut plus, qu'elle se sent tout étourdie, elle s'assoit par terre ou le plus souvent s'agrippe à moi et me serre dans ses bras pour ne pas tomber. À chaque fois qu'elle pose ce geste, et que je la vois vaciller, j'ai toujours peur de tomber avec elle. Pendant que mon bras gauche entoure son corps, ma main droite fait pression sur mon bâton pour éviter la chute. Felice se bat pour survivre avec toute la fougue de ses vingt ans. Un jeune homme l'accompagne habituellement, mais un malentendu au départ les a séparés pour la journée.

Tout l'après-midi, de roches en roches, de coteaux en coteaux, nous montons vers Aubrac, le point culminant de cette chaîne de montagnes. Les collines dénudées de tout boisé servent avant tout de pâturage. L'âpreté du pays se manifeste surtout par une herbe dure qui pousse parmi les pierres de granit; l'absence d'arbres ou d'arbustes se fait cruellement sentir. Inutile de chercher un point d'ombre pour s'arrêter. De ce plateau naît un sentiment de solitude qui n'est guère atténué par les burons, sévères bergeries disséminées sur la lande ou dans quelques villages isolés. Le pèlerin marche généralement dans des *drailles*, ces pistes de transhumance suivies à l'aller et au retour par les troupeaux venant estiver sur les montagnes. Ces sentiers sont couverts de roches rondes qui roulent sous nos pieds, ils sont aussi bordés de murettes de pierres sèches. Au Moyen Âge, la traversée de l'Aubrac représentait le danger le plus redouté par les pèlerins. Car, en plus d'être une région aride, ces terres étaient infestées de loups carnassiers. Sur le fronton du monastère d'Aubrac, on peut lire encore aujourd'hui cette phrase en latin: «In loco horroris et vastae solitudinis...» (en ces lieux d'horreur et de vastes solitudes...)

En marchant à côté de Felice par une telle température, ces vers de La Fontaine de la fable *La mouche et le coche* me reviennent constamment en mémoire:

Sur un sentier montant, rocailleux, malaisé,
De tous les côtés au soleil exposé...

Sous un soleil écrasant, nous traversons en effet l'un des endroits les plus fatigants, appuyant nos bottes sur des roches instables qui nous laissent toujours en déséquilibre. Et Felice qui ne peut même pas plier son genou gauche... Les autres marcheurs semblent avoir abandonné le sentier; au cours de l'après-midi, seulement trois hommes, marchant en solitaire, nous dépassent. À maintes reprises, j'offre à Felice de demander de l'aide. Parfois, à un kilomètre ou deux, nous apercevons une route dans la vallée; il serait possible d'y descendre, d'arrêter une voiture pour faire de l'auto-stop. Dès que j'évoque cette possibilité, Felice se remet en marche et refuse de m'écouter. Elle tient à pousser son corps malade jusque dans ses extrêmes limites. Parfois, elle prend ma main qu'elle place sur sa poitrine pour que je sente battre son cœur, ou encore, elle fait glisser ma main sur sa jambe malade pour que je perçoive la vie intense qui se déroule dans ses veines, dans son système nerveux. Les médecins lui ont expliqué que ces exercices violents pourraient redonner la vie à tous ses membres, mais surtout à son cerveau. Plus je la sens épuisée, plus je redoute qu'elle s'affaisse, qu'elle tombe et se blesse. Que pourrais-je faire seul avec elle, sur ces sentiers complètement isolés? J'ai déjà vu dans mes livres des images montrant des pèlerins sur les épaules d'autres pèlerins. Je ne me vois pas avec Felice dans mes bras marcher sur ce chemin rocailleux. Dès que nous apercevons Nasbinals au loin, je multiplie les arrêts, je fais tout pour soutenir Felice. Je la sens tellement épuisée et je ne veux pas qu'elle s'écroule avant d'arriver. Nous entrons dans le village vers 18h00, après vingt-neuf kilomètres sur des sentiers épouvantables. Elle me demande de la conduire à l'église; Felice est très croyante et espère qu'un miracle lui redonnera la santé. Au moment de franchir la porte, un jeune homme crie son nom derrière nous: c'est Federico qui arrive. Dès que je la vois se jeter dans ses bras, je me retire et regagne le gîte communal.

Au moment où je suis à la recherche d'un restaurant, je retrouve Felice et Federico, son jeune ami, assis sur un banc sur la place centrale. Le jeune homme qui s'exprime aisément me raconte tout. Les médecins qui s'occupent de Felice ont lu, l'hiver dernier, le compte rendu d'une expérience vécue l'an passé. Un médecin et quelques infirmières de France ont accompagné un groupe d'handicapés sur le sentier entre le Puy et Figeac. De cette expérience, le groupe a tiré des conclusions très positives. Un organisme de Barcelone lui fournit de l'argent pour accompagner la jeune handicapée. Ils ne manquent de rien et, habituellement, ils couchent à l'hôtel. Il me dit que Felice tient absolument à faire cette expérience pour renforcer son corps, stimuler sa circulation sanguine et peut-être aider son cerveau à se régénérer. Je perçois à travers son propos une grande admiration pour la jeune fille. Moi aussi, je ne puis m'empêcher d'admirer cette volonté de fer, ce désir de vaincre et le fait qu'elle essaie constamment de dépasser les limites que les médecins lui ont fixées. C'est la démonstration de son courage extraordinaire qui a incité l'organisme à aider la jeune handicapée.

Aux moments des adieux, je serre une dernière fois Felice dans mes bras. Federico affirme qu'ils vont rester sur place le lendemain, que la jeune fille doit se reposer avant de reprendre le chemin. Au cours de l'après-midi, Felice m'a raconté qu'elle voulait devenir physiothérapeute, adopter un enfant – puisqu'elle ne peut plus enfanter – et mener une vie normale comme travailleuse et mère de famille. Je lui souhaite de cultiver ses rêves et de les mener à terme. **De mon côté, je lui fais la promesse de continuer mon pèlerinage juste pour elle. Dorénavant, sur tout le parcours, elle sera l'étoile qui guide mes pas et que**

rien ne pourra m'arrêter. Jamais je ne prendrai de bus, jamais je ne ferai porter mon sac. Mon pèlerinage, je le poursuivrai dans toute son intégralité, dur et pur. Et je tiendrai parole.

Avant de partir pour le restaurant, je demande à la dame en charge du gîte, si elle ne connaît pas une adresse particulière; partout où j'appelle pour réserver, c'est complet. Elle tire de son carnet un numéro de téléphone, puis elle hésite avant de me le donner, disant que c'est beaucoup trop loin, par une chaleur pareille. Je me rends à la cabine téléphonique sur la place principale, un vrai four malgré l'heure avancée. Une dame, à Saint-Côme d'Olt, m'offre une chambre dans sa maison, à trente-cinq kilomètres de Nasbinals. Avec cette canicule et la traversée des monts Aubrac qui représentent selon mon guide des dénivelés plus importants que ceux des Pyrénées, mon projet de m'y rendre paraît complètement insensé. Mais Felice m'a donné une telle volonté de me dépasser; je peux franchir les pires difficultés.

Cette nuit, dans le gîte municipal, une chaleur accablante nous empêche de dormir. Le dortoir est situé juste en dessous d'un toit de tuile, chauffé au soleil pendant toute la journée. Une jeune fille, couchée à mes côtés, ne cesse de soupirer et de se tourner dans une tenue qui frôle l'indécence; dans les circonstances, je comprends son attitude et je suis prêt à tout lui pardonner. En effet, par les quelques rayons de lune qui s'infiltrent à travers les fenêtres ouvertes, il est possible d'observer que les hommes comme les femmes n'ont gardé que le strict minimum requis pour sauvegarder la pudeur. Nous sommes tous des enfants du bon Dieu dans notre version originelle, couchés sur nos sacs de couchage, accablés de chaleur et épuisés par une longue journée de marche. Le fait d'entendre les gens bouger constamment indique bien que personne ne réussit à dormir dans de telles conditions. Pourtant, le gîte neuf et fort bien tenu m'a plu dès l'entrée, mais la chaleur change tous les paramètres.

Ce matin du 23 août, à 6h30, après une nuit d'insomnie et un petit déjeuner rapide, je fixe mon sac sur mes épaules et pars pour un trente-cinq kilomètres sur un sentier qui chevauche des montagnes. De Nasbinals à Aubrac, le chemin traverse d'abord de grandes prairies dénudées et passe à travers des troupeaux de vaches qui broutent paisiblement. Des dames vraiment sympathiques à qui je donnerais volontiers la bise. Vêtues d'une soyeuse robe brun pâle, toujours calmes et sereines, décorées de belles cornes qui rehaussent leur prestige, ces jolies bêtes enchantent les montagnes de l'Aubrac. Dans le dernier troupeau, un bœuf monte la garde, une armoire à glace, une bête énorme qui s'apparente plus au bison de l'Ouest américain qu'à nos bœufs domestiques. J'hésite un instant. Suis-je téméraire de m'aventurer ainsi? Mon sentier traverse le troupeau, passant à moins de cent pieds du mâle à quatre pattes. Moitié par bravade, moitié par inconscience, je décide de ne pas dévier d'un pouce. Le bœuf en question suit ma trajectoire d'un œil canaille. Comme je ne dérange pas ses bien-aimées, il ne manifeste aucune intention agressive. Cependant, je comprends très bien que certains pèlerins contournent de très loin ces groupes d'animaux.

Puis, au loin, le bourg que j'espère tant découvrir laisse voir ses premières toitures. Malgré le fait que cette petite ville ait été le théâtre de plusieurs guerres dans le passé, le village monacal d'Aubrac reste saisissant quand on le voit apparaître dans l'immensité déserte. Au centre de la localité, la Tour des Anglais, un donjon construit au XIVe siècle, abrite le gîte d'étape, juste à côté de la *domerie*, les deux seuls édifices qui ont traversé les siècles parmi tous les bâtiments bâtis par les Templiers. Aujourd'hui, la *domerie* abrite le musée municipal. Les reproductions nombreuses des édifices anciens, les textes concernant les pèlerins d'autrefois et les illustrations abondantes des tracés traditionnels du Chemin, tous ces éléments méritent une visite qui suscite beaucoup d'intérêt : c'est le premier endroit, depuis Puy-en-Velay, où l'on retrouve autant d'informations sur l'histoire du Chemin.

Dès la sortie du village, le chemin commence à descendre et le paysage change complètement. Cependant, les descentes exigent davantage des jambes et des genoux que les montées. Après quelques kilomètres, les premières douleurs se font sentir, je dois diminuer mon rythme. Saint-Chély d'Aubrac apparaît alors, au creux d'une vallée, comme un véritable petit bijou. La ville, encaissée profondément entre des montagnes, se révèle progressivement au rythme des pas du randonneur. Mon guide me conseille d'y faire un arrêt, mais un rendez-vous m'attend ailleurs. Et l'image de Felice demeure présente dans mon esprit, à chacun de mes pas. Après quelques photos et un brin de conversation avec Martin le Suisse, un jeune ingénieur en mécanique, assis sur la terrasse du bar pour reposer ses pieds, je poursuis ma route. À peine sorti de la ville, je suis rejoint par le Pro du Chemin de Saint-Jacques. Un vrai Pro pure laine. À toutes les personnes rencontrées, il fait le récit de ses exploits : lui, le Pro, il a fait Le Puy-Santiago en quarante jours, quarante kilomètres par jour. Chacun dans le village doit le savoir. Il ne cesse de répéter sa chanson à tous les coins de rue, aux moindres personnes qui lui portent attention. Selon moi, il devrait l'écrire dans son dos, ou porter un étendard avec sa photo, ou encore le crier dans un porte-voix. Je cherche par tous les moyens à me débarrasser de sa présence encombrante. Si j'accélère, il me rejoint ; si je ralentis, il fait de même. Une vraie peste ! Impossible de l'éloigner ! C'est un groupe de jeunes cyclistes qui me sauvent de lui.

Nous arrivons ensemble, tous les deux, au sommet d'une colline. Une jeune monitrice, dans la vingtaine, et une dizaine de jeunes filles de 12-14 ans, essaient de descendre à bicyclette dans le sentier. Le Pro commence à engueuler les adolescentes au sujet de leur présence dans *son chemin*. Que viennent-elles faire là ? Elles devraient rester à la maison pour aider leur mère à faire la lessive. La jeune monitrice tente de défendre ses ouailles. Le Pro la cloue littéralement sur place avec une agressivité incroyable. Je ne puis supporter une telle situation. Je recule pour m'éloigner du groupe. Son attitude, sa gestuelle, les mots utilisés, tout évoque l'image d'un évêque inquisiteur, à l'époque pas si lointaine de l'Inquisition espagnole. Je suis convaincu que cet homme enverrait volontiers quelques femmes au bûcher, sans sourciller. À la fin de ses invectives, il m'invite à poursuivre avec lui. Décidément, le vase est déjà renversé. Je décline l'offre, prétextant qu'une pierre vient de se glisser dans une de mes bottes. Pendant mon arrêt pour enlever le faux caillou, les jeunes filles trouvent le temps de descendre la pente. Je les rejoins au bas, près de la rivière qu'il faut traverser sur des pierres. Je m'excuse auprès d'elles, affirmant que cet homme n'est nullement mon ami. Je réussis à les faire rire en leur racontant que cet homme est malheureux, qu'il ne peut dormir sans faire ses quarante kilomètres par jour. Cette pensée l'obsède à ce point qu'il marmonne constamment: mes quarante kilomètres, mes quarante kilomètres, mes... Un peu plus loin, nos chemins se croisent encore, j'en profite pour causer avec la monitrice. Ces sentiers conviennent fort bien au vélo de montagne, je l'encourage à poursuivre. Quand les jeunes filles me dépassent sur un chemin goudronné, toutes me saluent de la main et d'un «Au revoir, Monsieur le Québécois !»

J'arrive vers 5h30 à Saint-Côme d'Olt sous un soleil torride, après onze heures de marche presque sans arrêt. Mes trente-cinq kilomètres bien comptés. Je me présente à l'adresse indiquée. Un homme plutôt âgé me reçoit avec une affabilité extraordinaire. Lui et sa femme sont venus trois fois au Québec. Ils adorent les Québécois. Ma chambre ressemble plutôt à un appartement: sise au troisième étage d'une grande maison ancienne, elle donne sur la rivière, le Lot, et la montagne en face. Tout cela, pour une somme dérisoire. Un vrai paradis! Au souper, au moment d'entrer au restaurant, deux couples de Parisiens, que j'avais connus au Domaine du Sauvage, m'invitent à leur table. Ainsi, en petits groupes, ils sont d'une agréable compagnie. Ils retournent demain à Paris. Un souper qui laisse de très beaux souvenirs. Cette nuit, je dors comme une bûche. Quand mon réveille-matin se fait entendre, je crois revenir d'une autre planète. Je me dis qu'un autre trente-cinq kilomètres ferait sûrement du bien. Le cadran indiquait 8h00. J'ai prévu une courte distance, une réservation à Estaing, la veille, le confirme. Je prends un bon petit déjeuner chez la boulangère, visite la ville, l'église et surtout son clocher tors qui attire de nombreux visiteurs. Un arrêt à la poste va me permettre d'expédier les cartes postales qui traînent dans mon sac depuis quelques jours. Malheureusement, l'établissement ouvre ses portes à 9h00 seulement.

Mes visites terminées, l'achat des timbres complété, je me dirige vers l'église pour retrouver les balises. Comme toujours, il suffit de s'adosser aux portes de l'édifice religieux pour les apercevoir. Un matin absolument magnifique. Un ciel sans nuage. Et le soleil bien présent. En traversant le Lot sur le vieux pont romain, je dois prendre le premier chemin goudronné à droite. Comme je me suis arrêté pour croquer quelques photos et contempler la ville et la rivière, et que des gens sont venus me parler, je quitte le dit pont en grande conversation et je ne vois pas la toute première balise. Malheur à moi! Je poursuis ma route et j'aperçois, toujours à droite, une faible balise à moitié effacée en direction d'un chemin également goudronné. Je m'y engage sans hésitation. Ce chemin débouche sur un sentier qui s'avance dans la montagne. C'est sûrement le bon. Les anciens pèlerins passaient toujours par les montagnes, c'était l'unique façon d'éviter les villageois qui se faisaient un malin plaisir de les rançonner. Jusqu'ici, je respecte la logique. Cependant, mon sentier, couvert de ronces et d'arbrisseaux, devient de plus en plus malaisé. Je dois parfois marcher à quatre pattes, car les ronces s'agrippent à mon sac ou à mon manteau roulé sur mes épaules, au point de m'empêcher d'avancer. Étourdi sans doute par l'euphorie de ma dernière journée, je peste contre ceux qui choisissent ces sentiers et je ne comprends pas pourquoi celui-ci est si mal entretenu. Parce que ses ronces sont entrelacées d'une façon si dense, autant au-dessus de ma tête que sur les côtés, il devient impossible de trouver les sorties. Je dois me rendre sur la montagne, en rampant dans ce tuyau de branches et d'épines, avant de constater mon erreur. Cet horrible sentier débouche sur une route goudronnée en face d'un château ancien sur un pic rocheux. Roquelure, indique un panneau routier. J'ouvre mon livre. Je suis à sept kilomètres au sud de Saint-Côme d'Olt, exactement en direction opposée où je dois aller. Je dépose alors mon sac, m'assois sur une pierre. J'ai presque envie de pleurer. L'image de Felice bien présente en ma mémoire s'impose alors très nette. Pour la première fois, je peux poser un geste juste pour elle. Ce sentier me fait horreur, je prends donc le chemin goudronné pour revenir en arrière. À 12h15, je passe à côté du pont romain, je retrouve à ce point précis la balise que j'ai ratée le matin. Le gîte d'Estaing m'attend toujours, dix-huit kilomètres plus loin.

Peu après, je croise Martin, le jeune Suisse; il a tellement de la misère à marcher que je ne peux pas l'abandonner à son sort. Je l'accompagne jusqu'à Espalion, sous une chaleur accablante. Ce magnifique sentier à travers des prairies verdoyantes, à l'ombre de quelques grands chênes éparpillés dans la campagne, respire la santé. Mes yeux vont constamment du paysage à Martin, et vice versa. Même s'il ne se plaint jamais, je sais qu'il souffre énormément. Dès que mes yeux le quittent, son visage se crispe sous la douleur. En entrant dans Espalion, le thermomètre sur la place centrale indique quarante beaux degrés Celsius. Nous nous arrêtons au premier bar. Je lui offre une bière, il la mérite bien. Comme il ne peut plus avancer, il n'a d'autres choix que de s'arrêter là. Il veut aller voir un médecin pour la troisième fois depuis son départ du Puy. Je jette un coup d'œil sur les bottes qu'il vient d'enlever. Un ami lui avait fait observer, la semaine dernière, que la semelle était beaucoup trop mince pour porter son poids et les dix-huit kilos de son sac. La situation me paraît suffisamment triste, je me contente de déposer la botte sans rien dire. En quittant le bar, nous nous donnons l'accolade. Il veut toujours se rendre à Santiago avant le 15 octobre, je sais qu'il n'y parviendra pas. Je crains de ne plus le revoir, pourtant, Martin, c'est le genre de gars que l'on n'oublie jamais.

Avant de quitter Espalion, je me rends visiter la magnifique église de Perse. Cet édifice splendide a été construit sur les lieux mêmes où saint Hilarion a été décapité par les Sarrazins, en 730. Le bâtiment, en grès rose, est de style roman très pur: le chœur et l'absidiole de droite sont du XIe siècle, et le reste du XIIe. Le clocher-mur à quatre arcades qui se dresse sur un arc de triomphe est vraiment très impressionnant. Je quitte, content d'avoir fait le détour pour admirer cette église.

À la sortie de la ville, le randonneur ne peut s'empêcher de contempler sur une haute colline, isolée dans la plaine, le château grandiose des seigneurs de Calmont. Cet immense château de basalte a été érigé en plusieurs périodes par la noble famille, d'anciens lieutenants de l'armée de Charlemagne, sur les ruines d'une forteresse romaine, construite pour protéger la voie romaine qui passait à ses pieds. Un musée à Espalion retrace toute l'histoire de ce château. Malheureusement, j'ai peu de temps pour m'y attarder.

Compte tenu de tous ces arrêts et de la mésaventure du matin, j'arrive à Estaing vers 19h00. Le soleil couchant éclaire de mille feux le très beau château de Monsieur Giscard d'Estaing, ancien secrétaire du Général De Gaule et Président de la France. Heureusement, mon matelas est réservé au gîte municipal. Complètement épuisé, après les tâches habituelles, je m'attable au premier restaurant rencontré, une sympathique petite crêperie. En plus de quelques crêpes, je me paie une bonne bouteille de vin de Monsieur le Président. Puis, je me traîne jusqu'à ma paillasse où je dors comme un ogre. Ne me demandez pas si j'ai ronflé...

Le lendemain, avant de quitter la ville, je prends le temps de visiter. Un petit tour rapide. Une agglomération dans laquelle le château occupe la majorité de l'espace. La richesse des hôtels, la grandeur des restaurants et le nombre de touristes qui s'y promènent, montrent clairement l'importance de l'endroit. Le chemin poursuit de l'autre côté de la rivière, sur la rive gauche du Lot, d'où je suis venu. Pour la première fois, je me sens vraiment fatigué. Je m'attarde longuement sur le pont gothique qui enjambe le cours d'eau. En ce dimanche matin, la vie reprend son cours lentement. Après mes deux journées de trente-cinq kilomètres, le goût de poursuivre ma route se fait attendre. Bien assis sur un banc en face de la rivière, je pourrais y passer là le reste de la journée. Les canards qui se laissent glisser sur les eaux tranquilles de la rivière me semblent filer le parfait bonheur. Le soleil est déjà haut dans le ciel quand je fixe définitivement mon sac sur mon dos. Après quelques dizaines de mètres, l'entrain revient lentement et le sentier se met à m'avaler de nouveau.

Je pars complètement à l'aventure, sans aucune réservation. Et de plus, en ce dimanche, il est impossible de rejoindre les responsables des gîtes. Heureusement, le sentier se faufile à travers une châtaigneraie et l'air odoriférant de cette matinée de fin d'été me redonne vie. À un moment donné, je suis moi-même surpris de me sentir heureux sur ce chemin. À la sortie du bois, je me retrouve en face d'une plaine, et au loin, un village sur la colline: Golinhac. À proximité du petit bourg, un petit écriteau endommagé par le temps mentionne: gîte équestre à 500 mètres. Pourquoi ne pas tenter ma chance? Je me dirige vers l'endroit. En arrivant sur les lieux, une jeune fille passe à la réception par hasard. Elle consulte ses livres: une place de libre. Je n'ai qu'à écrire mon nom sur la porte numéro cinq, me dit-elle, m'installer et venir payer la note à 19h00, à l'ouverture du bureau.

Pour une fois, je peux enfin me reposer. Je consacre mon après-midi à la lessive et au séchage du linge sous ce soleil radieux. Dans ce petit village où rien ne bouge, ces moments de repos et d'oisiveté apaisent mon esprit et réparent mon corps endolori. Vers 17h00 arrivent les trois hommes qui doivent partager ma chambre, des pèlerins de Poitiers qui se rendent à Saint-Jacques. Mes premiers vrais compagnons de marche! Nous allons souper ensemble au restaurant du camping à cinq cents mètres du gîte.

Quand la douleur frappe...

À Golinhac, au souper, je fais la connaissance de Michel, Jean et Joseph, trois hommes de Poitiers qui se rendent à Saint-Jacques comme moi. Une rencontre qui me plaît, car pour la première fois j'ai le plaisir de partager un repas avec de vrais pèlerins.

Nous sommes nombreux, au resto, autour de plusieurs petites tables regroupées, à raconter nos aventures du chemin. Suite à une longue marche sous un soleil étouffant, la solitude des sentiers, la fraîcheur du soir apporte aux marcheurs rassemblés une paix, une sérénité, bénéfique pour l'âme et pour le corps. Dispersés sur différentes parties du chemin tout le jour, nous nous retrouvons, le soir, attablés pour refaire nos forces autant que pour partager les incidents et les émotions de la journée. Nos propos se limitent presque uniquement au chemin. Sur la terrasse de l'unique restaurant du village, des hauteurs de Golinhac, devant ce coucher du soleil qui incendie la plaine de ses feux mourants, le seul fait de se sentir entre amis apporte soutien et réconfort, sentiments d'autant plus importants que le village manque de ressources et l'hébergement difficile à trouver. Plusieurs se préparent d'ailleurs à passer la nuit à la belle étoile.

De Golinhac à Conques, le chemin est court et bucolique, vingt et un kilomètres de petites collines, à travers champs de culture et quelques bocages. Seule la traversée de la petite ville d'Espeyrac vient rompre la monotonie de cette promenade. Bâti en amphithéâtre, avec rues pentues et ruelles en escalier, sur un promontoire rocheux, face à la vallée, ce joli bourg nous prépare déjà à la rencontre de Conques. Les liens entre les deux villes demeurent étroits, car la cité s'est construite autour d'un prieuré qui dépendait de Conques. Quant à l'église Saint-Pierre d'Espeyrac, elle rappelle le passage de la relique de Sainte-Foy qui a fait la popularité de la grande basilique au cours des siècles passés.

La vue de la ville de Conques est saisissante pour le pèlerin qui se promène dans ses rues en palier, mais elle l'est davantage pour celui qui arrive de l'est et contemple la cité médiévale du haut des collines. La ville, construite à flanc de montagne, encaissée dans une vallée étroite et profonde où coule la rivière Le Dourdou, est entourée d'une forêt de conifères dense et verdoyante. La presque totalité des bâtiments qui remontent à l'époque du Moyen Âge ont conservé au cours des siècles ce même cachet ancien. L'église abbatiale Sainte-Foy, avec ses trois tours, domine tout le paysage. L'ancienne abbaye cistercienne, qui lui est adjacente, abrite une quinzaine de moines prémontrés et sert de gîte pour les pèlerins de Saint-Jacques. La ville reçoit beaucoup de visiteurs en période touristique, mais n'est habitée en permanence que par quelques centaines de personnes. Conques est une étape essentielle et l'une des plus belles villes à visiter pour le pèlerin. D'innombrables trésors sont entreposés dans son musée et dans les caves de l'abbaye: des reliquaires d'or et d'argent du VIIe au XIIIe siècles, des tapisseries, des tableaux et une multitude de pièces d'orfèvrerie.

Au pèlerin qui entre à Conques, tout lui rappelle son pèlerinage: l'église abbatiale, l'abbaye, mais aussi le fait qu'il faut présenter la crédentiale pour coucher au gîte. La crédentiale est ce petit dépliant en carton qui nous sert de passeport. À 18h00, on assiste à une messe, suivie d'un souper fraternel à l'abbaye et de la bénédiction des pèlerins, à 20h30 par le Frère Prieur, dans la petite chapelle du monastère. Exceptionnellement, en cette belle soirée du mois d'août, les pèlerins, sur présentation de la créden-tiale, ont droit à un concert de Mozart, dans l'église abbatiale.

Cet après-midi, au moment d'étendre mon linge sur les cordes, le thermomètre indique 40 degrés dans la cour intérieure du monastère où j'ai réservé un lit pour la nuit. En soirée, avant de me rendre au concert de Mozart, assis sur un banc du belvé-dère en face de la vallée, j'engage un long entretien avec Jenny, une jeune Américaine du New Jersey. À cause des difficultés rencontrées, elle a décidé d'abandonner les sentiers de France, pour se rendre directement à Roncevaux. Pourtant, elle me montre son itinéraire à partir de Puy-en-Velay jusqu'à Santiago, qu'elle a planifié soigneusement, avant de quitter la maison familiale. Pour une personne unilingue anglophone, le chemin devient trop difficile. Incapable de trouver facilement des gîtes, elle a accompagné un jeune étudiant, un Britannique qui pouvait se débrouiller dans la langue de Molière. Au moment où ce der-nier doit rentrer chez lui, elle écourte son pèlerinage et quitte le chemin français. Sa copine arrivera demain à Conques ; après une courte visite de la ville, elles gagneront toutes deux l'Espagne. Je suis, semble-t-il, le premier francophone à lui parler en anglais, depuis plusieurs jours. La tristesse de Jenny m'a accablé durant tout le concert de Mozart.

La sortie de Conques est en soi une aventure. D'abord, le pèlerin doit descendre au fond de la vallée, traverser un vieux pont romain encore en bon état et remonter la montagne en face de la ville. La petite chapelle de Sainte-Foy, érigée à mi-côte, permettait autrefois aux marcheurs de jeter un regard panora-mique sur la ville en face. Une source miraculeuse guérissait les yeux, disait-on. La forêt cache aujourd'hui le paysage et l'oratoire abandonné est ouvert à tous vents.

Le sentier qui nous conduit vers Livinhac-le-Haut suit en parallèle le Dourdou et passe, en tous les points, par le chemin traditionnel. De collines en collines, à travers des prairies florissantes, nous atteignons Decazeville, le trou minier de la région. Plusieurs randonneurs ont étudié le parcours pour éviter de traverser cette ville minière qui n'a aucun intérêt et qui oblige le marcheur à descendre au fond d'une profonde vallée. Pour ma part, je n'ai pas trouvé de guichet pour retirer de l'argent depuis plusieurs jours. Une visite dans le secteur des banques devient donc obligatoire. Au XIXe siècle, les «Houilleries et Fonderies de l'Aveyron» et les capitaux du duc Decaze ont fait de ce petit village un grand centre sidérurgique. Une ville sans art et sans histoire s'est construite, hors de toute symétrie, afin de loger et nourrir les mineurs. Puis est venu le déclin du charbon, la municipalité s'est en partie vidée de ses habitants. Aujourd'hui, cette petite ville, apparemment prospère, s'est délestée de ses vieux bâtiments du début du siècle. Elle ne mérite pas pour autant le détour.

La chaleur et la rude montée à la sortie de Decazeville m'ont créé sans aucun doute un excès de fatigue dans les jambes. Les faibles douleurs ressenties lors de la descente des monts Aubrac n'ont cessé d'augmenter. À deux kilomètres de Livinhac-Le-Haut, je peux à peine marcher. Le souvenir de Felice n'atténue en rien le problème, la douleur devient insoutenable. Ma jambe droite tremble comme une feuille morte que le vent balaie. Elle peut difficilement soutenir mon corps. Je clopine péniblement sur une seule jambe, avec l'aide de mon bâton de marche. Je termine le parcours, cent mètres par cent mètres, ponctué d'arrêts et de massages continuels. Seul sur le chemin, je peux heureusement choisir mon rythme.

Alors que je traverse le pont qui enjambe le Lot, une enseigne lumineuse attire mon regard: une pharmacie de l'autre côté de la rivière. Je m'y traîne douloureusement. Le jeune pharmacien n'hésite pas un seul instant, il me tend une bouteille de comprimés anti-inflammatoires. Une double dose tout de suite, me dit-il. La grande maison de ferme où je dois me rendre est située à moins de trois cents mètres. Je parviens finalement à l'atteindre par mes propres moyens.

J'y suis accueilli par M. Robertson, un ancien enseignant à la retraite de la région de Lille en Normandie. Il a acheté et transformé cette maison pour y recevoir des randonneurs. Ce gîte, m'explique-t-il, comble le manque à gagner qu'une retraite prématurée a laissé sans ressources. D'un naturel affable, cet homme dans la cinquantaine se plaît à accueillir ses douze visiteurs et à préparer avec eux le repas du soir. En cette soirée magnifique de la fin de l'été, le souper se prend sur des tables de camping, à l'ombre de grands arbres feuillus. Sa jeune épouse et son fils de 8 ans partagent avec nous les agapes. Pour accompagner son pot-au-feu, notre hôte sort de ses caves plusieurs bouteilles d'un Bergerac velouté, délice du randonneur. Contrairement à la coutume française qui veut que celui qui paye se croise les bras et attende, ce Français ne craint pas de demander l'aide des convives pour servir et desservir la table, le tout à la mode québécoise.

Cette nuit, à cause de ma douleur à la jambe et de l'extrême chaleur, au sommet d'une tour de garde, sous un toit d'ardoise qui a emmagasiné les rayons de soleil toute la journée, je cherche en vain le sommeil. Joseph, sur le lit à côté, ne semble pas avoir plus de succès.

Au moment de quitter Livinhac-le-Haut, j'aimerais bien trouver une autre maison de ferme pour me loger. Mes amis de Poitiers m'invitent plutôt à les suivre à Figeac. La ville, selon eux, offre un meilleur accueil. Le sentier assez sinueux nous conduit à travers une campagne paisible et de nombreux petits villages. Dans chacun d'eux, une ancienne église romane mérite un arrêt: Montredon, Guirante, Saint-Félix, Saint-Jean-Mirabel, Lunan et j'en passe. Au cours des âges, le chemin s'est enrichi de tant de monuments que je m'impose des étapes courtes afin de m'arrêter à tout ce qui attire mon regard.

Un soleil de plomb et une souffrance dans les jambes m'obligent à des visites fréquentes dans les cimetières pour y remplir mes gourdes. En France, dans ces lieux paisibles, le pèlerin trouve une eau potable qui vivifie. Les Français ont un tel respect pour leurs ancêtres qu'il ne viendrait jamais à l'un d'eux l'idée de donner à ses mânes une eau contaminée. Quelle douleur de simplement penser qu'il pourrait rendre son ancêtre malade avec une eau de mauvaise qualité! Non, cette possibilité doit être écartée. Dans les cimetières français, on trouve toujours une eau limpide pour arroser les fleurs et remplir les contenants les plus variés des randonneurs.

J'arrive à Figeac sous une chaleur torride avec toujours cette douleur lancinante des muscles supérieurs de mes jambes. Cette ville de France, à cause de sa situation géographique, est reconnue pour ses températures extrêmes en hiver comme en été. En ce 28 août, ses habitants l'admettent volontiers, la ville ressemble à un four au point que, même pour s'y promener, le randonneur privilégie les ruelles ombragées. Le centre-ville conserve son cachet de l'époque médiévale. Les vieilles maisons à arcades, les fenêtres gothiques et les cheminées coniques, tout nous rappelle le passé glorieux de la cité. Lors de ma visite de la ville, je me suis arrêté à la maison, aujourd'hui transformée en musée, de Jean-François Champollion. On peut y observer les travaux du célèbre et génial traducteur des hiéroglyphes d'Égypte.

À la sortie de l'église Notre-Dame-du-Puy, le principal bâtiment religieux de la ville, un sans-abri, pieds nus, assis sur les marches du portique, attire mon attention. Une excellente occasion de me débarrasser de mes sandales dont les boucles de métal risquent d'endommager mon sac de couchage. L'homme semble très content de les recevoir. Après quelques pas de danse pour s'assurer qu'elles lui conviennent bien, il se jette dans mes bras pour une accolade sans retenue. Malgré quelques relents de bon vin et d'autres odeurs imprécises, je me fais un plaisir de l'étreindre un moment et de causer avec lui. Je le quitte pour entrer chez le marchand de chaussures afin de me procurer d'autres sandales qui ne risquent pas de déchirer mon sac à dos.

Michel a réservé une chambre à trois pour son groupe de Poitiers et une chambre individuelle pour moi. Triste situation: leur chambre à l'arrière donne sur une cour silencieuse alors que la mienne, à l'avant, fait face à un pont sur le Célé, la rivière qui traverse Figeac. Toute la nuit, une abondante circulation de camions me tient en alerte et malgré des bouchons dans les oreilles, les coups de freins ou de klaxons ont raison de mon sommeil. À mon lever, cette nuit d'insomnie prépare mal mon départ pour les trente et un kilomètres qui me séparent de Cajarc, ma prochaine destination.

Figeac se trouve à une croisée de voies historiques: celle qui rejoint Cahors par Cajarc et le causse de Limogne; celle qui aboutit au même endroit par les vallées du Célé et du Lot; celle enfin qui, avec l'essor du culte marial, faisait le détour par Rocamadour. Mes compagnons de route privilégient la première voie, celle qui passe par le causse de Limogne. Me fiant à leur expérience, je décide de les suivre. Sur cette dernière, dès la colline du Cingle, devient apparent ce que nous ressentions hier: le dessèchement du paysage. C'est cependant à partir de Beduer que l'évidence du changement s'impose. Bordé de murets de pierre, entouré de prés semés de pierre, ponctué de construction de pierre, notre chemin s'enfonce dans un monde minéral où même la végétation, piquante et drue, semble s'y pétrifier. D'énigmatiques dolmens gardent un long silence... Étape longue et sèche, la descente vers Cajarc !

Une journée plutôt pénible ! Ces trente et un kilomètres de sentiers rocailleux et de descentes abruptes exigent des efforts trop grands pour mes jambes malades. À vrai dire, j'aurais aimé terminer le trajet en marchant sur les mains. Le massage des muscles, les exercices de rotation ou d'étirement, les arrêts fréquents, sur tout le parcours, rien ne contribue à diminuer la douleur. J'entre à Cajarc uniquement à coups de volonté avec une seule idée en tête: m'arrêter à la première pharmacie. La jeune pharmacienne, enceinte de huit mois sans nul doute, saisit une potion magique à la portée de la main. Dans trois jours, me dit-elle, mon mal va disparaître comme par enchantement. Je lui souhaite de donner naissance à un bel enfant et je m'assois dans le premier parc rencontré pour enduire mes jambes de cette pommade miraculeuse.

Question d'économiser nos sous, Michel a réservé deux chambres dans un petit hôtel à l'extérieur de la ville. Au premier regard, c'est une oasis d'une grande tranquillité. Mais le lendemain, au lever, nous tirons tous les quatre les mêmes conclusions: les apparences étaient trompeuses. Si l'hôtel respirait le calme à notre arrivée, il en fut tout autrement au début de la nuit. Le va-et-vient incessant et les autres bruits entendus ne laissaient aucun doute, cet hôtel servait à n'en point douter pour *la petite couchette*, si l'on veut utiliser une expression du pays. Bref, c'était tout bonnement un bordel. Un bel environnement pour des pèlerins qui se rendent à Saint-Jacques !

Est-ce que ce sont les bruits de la nuit ou les discussions de la veille qui ont alimenté notre réflexion ? Dès le lever, Michel me conseille de quitter leur groupe. Aucune malice dans ce geste. La situation dans laquelle nous vivons, celle qui consiste à m'insérer dans un groupe déjà constitué, ne me convient pas vraiment. Tous nous partageons le même avis, il me sera plus facile, seul, de trouver un gîte qui me plaît. Au cours de la nuit, la même conclusion s'était imposée à mes yeux avant qu'il ne m'en parle. Nous nous quittons, le matin, en bons amis.

À la sortie de Cajarc, peu de randonneurs circulent sur le chemin. Après la visite de la chapelle de la Madeleine, que les gens de là-bas appellent «la Capelette», et un coup d'œil au château de Gaillac, je ne rencontre personne de la matinée. Après plusieurs nuits sans sommeil, complètement isolé sur ce sentier du causse de Limogne, j'ai l'impression de dormir sur le chemin, d'autant plus que le temps est couvert et que la solitude invite à la rêverie. Le causse ou le plateau calcaire du massif central est une région désertique: le sol sec et aride rend la culture presque impossible, étant donné que l'eau de pluie s'infiltre rapidement dans les fissures du sol, créant des gouffres et des lacs souterrains. Tout au long du parcours, entre des falaises blanches de calcaire, je peux apercevoir à maints endroits des dolmens, des *garriottes* ou des *cazelles*: ce sont de toutes petites maisons de pierre pour une seule personne, construites en forme de cône, qui servaient autrefois d'abri pour les bergers ou les gardiens de troupeaux.. Au XIVe siècle, 80 % de la population qui vivait dans ces régions a été emportée, lors des grandes pestes qui ont ravagé l'Europe. Le pays est devenu alors progressivement désertique.

J'arrive à Limogne-en-Quercy peu après dîner. La douleur dans mes jambes a sensiblement diminué. Je marche sans trop de difficulté, mais je sais qu'un bon repos leur fera du bien. La dame du bar qui gère le petit gîte m'affirme qu'il lui reste quelques lits disponibles; cet arrêt va me permettre de m'y reposer en paix. Je suis à peine installé que les nuages éclatent, déversant une pluie rafraîchissante qui dure tout le reste de la journée. Au souper, Jean, un publiciste de Paris, m'invite à l'accompagner au restaurant. Nous nous retrouvons huit autour de la même table, de nouveaux amis qui vont m'accompagner pendant plusieurs jours.

Sur l'autre table de mon resto, deux couples disent voyager avec l'aide le l'agence *Pèlerine* qui réserve tout pour ses clients: restaurants, hôtels, voitures pour transporter les bagages, etc. Chaque matin, ô surprise, un responsable de l'agence leur remet des feuilles sur lesquelles toutes les activités sont inscrites. Il suffit de suivre les directives à la lettre et le voyage se déroule sans incident et sans défi. Jean, le publiciste, avec son air narquois, demande à la dame, sa voisine, si l'agence a indiqué l'heure où elle doit faire *pipi*. Ces gens, malgré notre incrédulité, défendent l'idée que c'est la façon moderne de faire le Chemin de Saint-Jacques. Pour nous qui marchons sous la canicule, avec nos sacs et la crainte de ne pas trouver un toit pour dormir, leur jeu, si futile soit-il, se limite à une vulgaire mascarade du pèlerinage.

Après une bonne nuit de sommeil, soucieux de protéger mes jambes, je me dirige le lendemain vers Vaylats, chez les Filles de Jésus. Une petite randonnée de douze kilomètres qui me réconcilie définitivement avec le chemin. Ce dernier, une ancienne voie romaine parfaitement rectiligne, n'offre aucune difficulté. Ma guérison progresse chaque jour. En dépit de mes soixante-deux ans, j'arrive au couvent, frais comme un jeune homme. À la réception, la religieuse m'accueille avec simplicité, m'indique ma chambre, sise au sommet d'un donjon de cet ancien château forteresse. Le souper sera servi à 20h00, après la messe et les vêpres. Ce petit bourg, perdu au milieu des champs, ressemble plus à une simple agglomération de maisons qu'à un village. Impossible d'y trouver à boire ou à manger. Pendant les treize heures qui séparent le déjeuner du souper, je dois me contenter de quelques cacahouètes qui traînent au fond de mon sac.

Le couvent des religieuses, le seul bâtiment d'une certaine importance dans le petit bourg fut, jadis, une ancienne *domerie* des Templiers. Au cours des ans, il a servi de monastères à différentes communautés religieuses. Aujourd'hui, peu habité, le couvent sert d'infirmerie pour les religieuses âgées et de gîtes pour les pèlerins. Au souper, une religieuse, sachant que je venais du Canada, s'informe de ses consœurs du couvent Kermaria, sur le boulevard Saint-Louis à Trois-Rivières. Ces dames s'attristent de devoir quitter bientôt leur maison religieuse où elles ont passé la majorité de leur vie. Les entrées de nouvelles religieuses se faisant très rares, leur établissement semble perdu et sans ressources dans cette région agricole.

Ce premier septembre, en quittant Vaylats, mes difficultés paraissent surmontées. Les douleurs aux jambes ont complètement disparu. Je dois une fière chandelle aux deux pharmaciens français qui m'ont permis de poursuivre mon chemin. Aguerri par cette épreuve, je me dirige vers Cahors pour un tout nouveau pèlerinage.

Le plaisir de marcher

Le soleil n'est pas encore levé quand je salue mes hôtes, après un petit déjeuner copieux. La fraîcheur se fait sentir et je préfère endosser mon manteau. À la sortie du village de Vaylats, je retrouve la voie romaine qui conduit vers Cahors. Les gens de la région appellent cette piste, le chemin de Varaire, une simple abréviation de *via romana*. Cette route, abandonnée aujourd'hui à cause de son étroitesse qui ne convient plus aux véhicules motorisés, fut utilisée pendant des millénaires. Au Moyen Âge, elle servait surtout aux muletiers qui transportaient le sel de la mer vers le continent. Un long vingt-cinq kilomètres où je ne traverse aucun village, ne vois personne, seulement absorbé par mes rêveries. Loin de l'ennui, cette apparente monotonie aiguise mon attention aux infimes changements qui petit à petit marquent le paysage. La terre se fait moins ingrate. Plantée de vignes, tachetée ici et là de hautes pinèdes, elle est presque verdoyante dans la vallée de Cieurac.

Cette région de la France est très ancienne. Les menhirs que le marcheur peut apercevoir de temps en temps en sont une preuve. Habitée par les Cadurques au temps des Romains, elle a résisté longtemps aux armées de Jules César. La capitale, Carduca ou Cahors, était célèbre à cause de sa source d'eau limpide qui jaillit au pied de la falaise, jet d'eau intarissable qui alimente encore aujourd'hui la ville en eau potable. Près de la caverne, les chercheurs ont retrouvé des traces de vie humaine, vieilles de 40 000 ans avant notre ère.

La dernière partie du chemin s'achève par une longue montée vers un promontoire, aride et balayé par les vents, qui surplombe la ville de Cahors. Quelle belle vue de la ville ! Le Lot qui prend la forme d'un «u», enferme en quelque sorte la vieille ville, faisant d'elle une presqu'île. Si la ville moderne déborde aujourd'hui des anciennes murailles, il est facile de comprendre qu'à une époque reculée, avec les faibles moyens que possédaient les armées d'alors, cette cité médiévale mettait toutes les chances de son côté.

Aujourd'hui, les bâtiments anciens renferment des pages et des pages d'histoire. Peu de traces subsistent de la première cathédrale bâtie en 650. Cahors, une ville ravagée à tour de rôle par les Vikings, les Sarrasins et les Huns, s'est constamment relevée. Elle a tenu tête aux Anglais durant la guerre de Cent ans et n'a jamais cédé devant le siège d'Henri IV, le futur roi de France. La liste des hommes célèbres nés en son sein serait trop longue à énumérer, qu'il suffise de nommer le pape Jean XXII et le tribun républicain Gambetta, dont les souvenirs demeurent très présents dans cette ville.

Les époques anciennes ont laissé bien des vestiges, à commencer par des parties de rempart sur la rive du Lot. Aujourd'hui, Cahors attire les visiteurs par ses ruelles étroites, l'architecture de ses vieilles maisons, mais surtout par la cathédrale Saint-Étienne, majestueuse avec ses deux larges coupoles romanes et sa nef immense qui fait d'elle l'une des plus grandes églises de France. Le visiteur devrait également s'attarder à la sobre église languedocienne qui remonte au XIIe siècle, au palais de Pierre Duèze, le banquier, frère du Pape et à la Tour de Jean XXII, qui a servi de résidence à la célèbre famille. Le vieux pont

Valentré, un exemple remarquable de l'architecture militaire lors des guerres franco-anglaises, mérite lui aussi une visite. Avec ses six grandes arches gothiques, ses trois tours crénelées, il a découragé bien des assaillants. Ni les Anglais, ni Henri IV n'osèrent l'attaquer.

J'arrive à Cahors sans aucune réservation. À l'Office du tourisme, la jeune fille me conseille de me présenter à la Résidence des Jeunes Travailleurs, une sorte d'auberge pour les jeunes sans logement dont une partie est réservée aux pèlerins de Saint-Jacques. Je me retrouve dans une petite chambre de deux lits superposés, avec Gilles, le directeur des travaux publics de Paris, Iseult, l'étudiante alsacienne et Veronik, une grande allemande de vingt ans qui fait à vélo, Fribourg-Santiago. Jean, le publiciste de Paris, qui couche dans la chambre d'à côté, m'amène visiter la ville, ses vieux quartiers qu'il connaît bien, et nous aboutissons vers les 21h00 dans un excellent petit restaurant de la vieille ville où il faut débourser un peu plus que d'habitude, mais le repas en vaut bien la peine.

Pour le pèlerin qui quitte Cahors, la montée de la colline à la sortie du pont Valentré est aussi raide que la descente vers la ville a été abrupte. En plus des marches taillées dans le roc, les responsables ont fixé des tiges de métal auxquelles le randonneur peut s'agripper. Avec le sac à dos et le bâton de marche, la tâche demeure ardue. Mais à cœurs vaillants, rien n'est impossible.

Les vingt-cinq kilomètres qui séparent Lascabanes de Cahors n'offrent pas de difficultés particulières. Le pèlerin traverse le Quercy blanc, pays moins sec, moins inhospitalier que les causses mais où les coteaux conservent sur leurs flancs le reflet des roches calcaires. Les villages agricoles ne sont ni grands ni nombreux, mais à la différence des terres pastorales que nous quittons, ces petits bourgs avec leurs maisons resserrées et leurs ruelles étroites, une placette ici et là, donnent l'impression d'une étonnante cohésion. Les vallées sont rectilignes, drainées par de petites rivières. L'itinéraire proposé passe par les coteaux sur de beaux chemins blancs en crête, inondés de lumière.

Le facteur *chien* demeure un élément important à considérer pour la partie française du chemin. À chaque petit bourg que je traverse, je fais la connaissance d'au moins une bonne dizaine de ces protestataires. Dès que le premier animal nous aperçoit, il met en mouvement ce que certains marcheurs appellent: la fanfare canine. Tous les chiens aboient à gorge déployée, mais manifestent rarement des signes de méchanceté. Certains se donnent des airs d'autorité et exigent que l'on négocie le passage. Dans cette négociation, le bâton en général joue un double rôle: il stimule l'agressivité du chien tout en le tenant à distance. Dans les régions agricoles, les aboiements du chien déclenchent tout un bal, une véritable symphonie sonore: du plus petit au plus gros, chacun y va de ses airs favoris, pendant que le coq et les poules jouent les sopranos et les vaches se prennent pour de grosses basses. En ville, les klaxons des voitures viennent briser ces mélodies et la race canine fait montre de moins d'enthousiasme, retranchée derrière des panneaux, porteurs de messages, que l'on retrouve devant toutes les entrées de cours:

Propriétaire gentil
Avec
Chien méchant

J'arrive à Lascabanes, au début de l'après-midi, dans un petit gîte tout neuf. Une escale bien reposante. Comme le bourg n'a ni restaurant ni centre d'alimentation, toutes les ressources viennent du gîte. J'y suis accueilli par une jeune dame qui joue tous les rôles: en plus de la réception, de l'entretien et de la préparation des repas, elle doit trouver un toit pour les marcheurs en trop, vu que le milieu manque de chambres à louer. Or, en ce bel après-midi, le gîte reçoit le double de pèlerins qu'il peut contenir. Parmi eux, trois hommes qui s'arrêtent à tous les bars. Bien connus des autres marcheurs, ils sont généralement d'humeur agréable. Mais avec le soleil qui tape sur la tête, la boisson aidant, ils semblent se plaire à mettre en évidence «l'anarchie française», comme se plaît à le répéter l'un d'eux. Inutile de dire que la jeune patronne, malgré sa bonne volonté, est débordée de toutes parts. À quelques reprises, je tente de l'aider. Mais au nom du principe très cher qui veut que celui qui paie se croise les bras, un ami à mes côtés me conseille de ne pas intervenir. Cette jeune mère de famille doit s'occuper en plus de son fils de trois ans qui ne cesse de l'accaparer. Au moment où j'entends la dame crier que «les plombs vont sauter», je donne un grand coup de pied dans *le principe très cher.* Avant qu'un malheur n'arrive, j'amène l'enfant dans le carré de sable et pendant plus d'une heure, assis ensemble sur le sol, nous construisons d'éphémères châteaux. Quand le père vient chercher son fils, je ne demande plus de permission à personne, j'aide la mère à mettre la table et à trancher le pain. En soirée, au moment de quitter le gîte, avec beaucoup de discrétion, la dame vient me remercier. Elle a grandement apprécié le geste. Comme quoi même les coutumes les plus ancrées peuvent changer.

Rien n'est plus agréable que de reprendre la route, après un repas en famille et une bonne nuit de sommeil dans ce bourg tranquille. La première ville rencontrée, Montcuq, tire son nom de l'expression latine *le mont du coucou.* Le site est plein de poésie. Sur une colline verte qui domine le cours de la Barguelonnette et les vignobles de chasselas, les rues médiévales, parfois en escalier et toujours pentues, montent à l'assaut du dôme rocheux couronné d'un donjon solitaire, vertical, rectiligne, fait d'une tour et d'une tourelle rectangulaires.

En ce matin tout frais, parcourir Montcuq offre un vrai régal, une escale rafraîchissante. À la sortie de la ville, la poésie ne me quitte pas pour autant. À mesure que je descends vers le sud, les ruisseaux grossissent, se transforment en petites rivières, le calcaire blanc est recouvert d'une terre argileuse et arable, tandis que les vallées se parent d'un vert manteau. Entre cultures céréalières et le champ de melons, je frôle des lambeaux de forêt remplis de fraîcheur. Après l'ancien château de Charry et la chapelle romane de Rouilhac, je passe à proximité de la butte du petit village de Montlauzon sans trop m'apercevoir que je quitte la région du Lot pour celle du Tarn-et-Garonne.

Je m'arrête à Lauzerte, fasciné par cette ancienne place forte du Moyen Âge. Cette bastide, visible de très loin, sise sur un piton rocheux, surveille depuis le XIIe siècle la route Cahors-Moissac. Longtemps propriété des comtes Raymond de Toulouse, la ville connut les atrocités de la Guerre de Cent Ans et des guerres de religion. Cette cité s'ouvre aujourd'hui comme un grand livre d'histoire: des maisons du XIIIe siècle à façade de bois et fenêtres géminées, d'autres de la Renaissance à fenêtres à meneaux, d'autres enfin formant une partie des remparts. Avec ses pierres blanches, ses colombages, ses rues descendantes très inclinées, son chemin de ronde qui mène à la place des Cornières, cette cité ancienne émerveille le visiteur, tout en lui offrant une vue imprenable sur la plaine qui s'étale à ses pieds.

Édifiée après la fondation de Lauzerte, l'église avec son retable doré apparaît comme un chef-d'œuvre de l'art baroque. Du haut des remparts, près de la citadelle, elle domine la campagne environnante avec son clocher étincelant au soleil.

Après une brève visite de la ville, avec mes deux compagnons de marche, Monique, une analyste financière de Lille et Gilles, un directeur des travaux publics de Paris, nous partons à la recherche d'un restaurant pour le souper. Une surprise nous attend. En ce lundi, le seul restaurant de la vieille cité est fermé. Les Français jeûnent au début de la semaine. Je me propose, vu la bonne condition de mes pieds, pour aller seul vers le centre d'alimentation à la recherche de nourriture, à trois kilomètres, en bas, dans la plaine, près de la route principale, parce que Monique cultive une large ampoule et Gilles ressent de sérieuses douleurs aux jambes. Rien à faire. Ces valeureux pèlerins qui ont planifié de se rendre à Saint-Jacques, malgré leurs maux de pieds, tiennent à m'accompagner. Après un sympathique vingt-cinq kilomètres de marche, quelle joie de descendre de la montagne, d'acheter de la bouffe et de remonter sur la montagne pour le souper! Nous faisons le trajet en sandales, bien relaxes, en donnant toute latitude à la conversation. Heureusement, peu de randonneurs ont suivi nos traces de telle sorte que nous sommes presque seuls dans le gîte. Nous consacrons le début de notre soirée à nous cuisiner un bon repas et à boire une excellente bouteille de vin du Cahors.

La vingtaine de kilomètres qui séparent Lauzerte de Moissac ressemble à une longue promenade dans un jardin fleuri. La végétation qui nous entoure est désormais luxuriante. En ce début de septembre, sur les coteaux, les grappes bleues du chasselas pendent lourdement à la vigne. Après la petite chapelle Saint-Sernin, une merveille du XIe siècle, et le village de Durfort-Lacapelette, nous débouchons sur la plaine du Tarn. Nous traversons alors des vergers à perte de vue. Le sentier, nullement monotone, est rempli d'odeurs et de couleurs les plus variées. Nous nous approchons lentement de Moissac, à peine fatigués.

Avant d'arriver à la ville, nous apercevons le Tarn, ce fleuve tranquille, né dans le Massif central au pied du mont Lozère, encaissé entre les causses. Il franchit trois cent soixante-quinze kilomètres, avant de venir se jeter dans la Garonne, en aval de la ville.

La ville de Moissac fut construite autour de son abbaye. Le roi Clovis ayant vaincu les Wisigoths et perdu mille cavaliers voulut bâtir l'abbaye aux mille moines. Ce monastère devenu prospère fut ravagé par les musulmans en 732, puis deux siècles plus tard par les Normands qui remontaient la Garonne, enfin par les Huns qui le rencontrèrent sur leur passage. À partir de 1047, l'abbaye est rattaché au monastère de Cluny et devient une escale obligée sur le Chemin de Saint-Jacques-de-Compostelle. Au XVIIe siècle, le monastère perd de son importance. Les moines fuient cette ville devenue trop prospère et trop bruyante. La Révolution en fait une caserne de soldats. Au XIXe siècle, les ingénieurs de la SNCF songèrent à le détruire pour y faire passer une ligne de chemin de fer. Aujourd'hui, la visite du cloître et du musée qu'il renferme attire chaque année des milliers de visiteurs.

L'ancien couvent des Carmélites, sur la colline en face du cloître, a été rénové et transformé en gîte pour le pèlerin. C'est là que je reçois le meilleur accueil de tout le chemin français. Dès que l'on peut s'identifier comme un vrai pèlerin, le comité de réception met tout en œuvre pour rendre notre séjour agréable: de petites chambres pour deux ou individuelles, des installations de qualité qui répondent bien aux besoins des marcheurs. Le souper et le petit déjeuner sont également fournis au gîte, pour une somme modique.

Autant le gîte a été agréable, autant le sentier qui va suivre va l'être également. Notre guide présentait deux chemins, celui qui passe par les collines et celui qui longe le canal du Midi, le long du Tarn. Je choisis le sentier sur le bord du canal et je ne l'ai jamais regretté. Il s'agit en fait d'un sentier de hallage qui remonte aux siècles passés. À cette époque, les barges à fond plat qui circulaient sur le canal étaient tirées, soit par des chevaux, soit par des bœufs. Cette méthode devenue désuète, les sentiers ont conservé le même attrait, car de grands platanes y ont été plantés sur tout le parcours pour que les bêtes reçoivent un peu d'ombre durant leur travail. Comme le canal est peu utilisé aujourd'hui, une promenade sur ses rives invite à la douceur de la songerie. Sur huit kilomètres, le pèlerin n'est distrait que par le chant des oiseaux, le sillage des hérons qui glissent sur les eaux paisibles du canal et les reflets des rayons de soleil à travers les larges feuillus qui bordent le canal.

Le sentier, après la traversée du Tarn, s'éloigne de la Garonne tout près, s'avance dans la campagne verdoyante à la recherche de la petite chapelle Sainte-Rose et du village de Malause et revient vers un autre canal, le Golfech. De l'autre côté du cours d'eau, le pèlerin aperçoit déjà la forteresse d'Auvillar sur les hauteurs. Une autre bastide pour surveiller la circulation sur la Garonne. Cette cité médiévale, l'une des plus belles de la région, mérite qu'on s'y attarde longuement. Perché sur une terrasse au-dessus de la Garonne, le bourg d'Auvillar offre un panorama splendide sur le fleuve et la plaine. Au cœur de la vieille ville, les hautes demeures des sombres ruelles, les vieilles maisons du XVe siècle construites sur des arcades, le palais des Consuls, l'ancien couvent des Carmes, une halle circulaire sur colonnes, la Tour de l'Horloge et l'église Saint-Pierre, tous ces bâtiments nous donnent une véritable leçon d'architecture et d'urbanisme.

C'est à regret, mais avec de belles images en tête, que le pèlerin traverse la Garonne pour regagner la campagne française et l'une des régions agricoles des plus prospères, la Gascogne.

La Gascogne

La Gascogne était autrefois un duché français qui s'étendait de la Garonne jusqu'à l'Atlantique en descendant vers les Pyrénées. Les anciens habitants de cette région venaient des pays basques, car ils s'appelaient Bascons en français, Gascons en provençal (la langue d'oc) et Vascons en espagnol. Si l'on fait abstraction de la prononciation, le mot a la même origine latine *vasco*. Cette région est typique et possède de nombreux traits communs: unité de sol formé de débris (sable et cailloux, provenant du Massif Central et des Pyrénées), unité linguistique (la langue d'oc), unité raciale (même type d'hommes, petits, bruns, fiers et braves). Nous sommes au pays d'Artagnan, des Trois Mousquetaires et de tous ces valeureux gentilshommes qui savaient s'exprimer l'épée à la main.

Aujourd'hui, la partie de la Gascogne que traverse le sentier s'appelle le département du Gers. Une vaste plaine constituée de petites collines qui favorisent la culture de la vigne, du melon et du maïs. Le parcours y est fort reposant, mais les villages sont clairsemés, et l'hébergement difficile à trouver. Il importe de rester à l'affût de tout ce qui peut servir de toit.

Selon mes habitudes, plutôt que de m'arrêter au gîte municipal d'Auvillar, je me dirige vers une maison de ferme à la sortie du village de Saint-Antoine. Au téléphone, Mme Dupont me dit que son gîte est complet, mais que je peux y venir quand même. Cette année, beaucoup de randonneurs réservent une place, mais ne se rendent jamais à leur rendez-vous. À mon arrivée, effectivement, le bâtiment de ferme qui fait office de gîte est rempli. La dame qui ne semble pas du tout prise au dépourvu par ce contretemps, marmonne entre ses dents qu'il faut profiter de la manne pendant qu'elle passe. À moins d'objection, je peux utiliser le divan dans le salon de sa maison privée avec Georges, un randonneur de Lyon. Quelle aubaine ! Nous disposons d'une salle de bain, alors que dans le gîte, les randonneurs n'ont à leur disposition qu'un seul utilitaire pour vingt-quatre personnes. Ce manque de sanitaire semble plutôt la norme en France. En dépit de cette pénurie, chacun réussit toujours à satisfaire ses besoins, même s'il faut, à l'occasion, accepter certaines concessions. Comme dit le livre, *le pèlerin ne demande rien, n'exige rien, il se contente de ce qu'on lui donne*. Je reconnais que parfois l'obole ne pèse pas lourd.

Après une bonne nuit passée au salon, je reprends le sentier en direction de Lectoure. Un trente kilomètres à travers des champs de maïs, de melons et toujours des flancs de collines remplis de vignes. L'ancien chemin, plutôt rectiligne, correspond à la route goudronnée actuelle alors que le sentier va en zigzagant pour éviter l'asphalte très détesté des randonneurs. Ce chemin en lacet traverse le village de Flamarens où il est possible d'admirer un très beau château. Cette demeure princière, bâtie sur l'emplacement d'un ancien camp romain en haut d'une colline qui domine la plaine, était la fierté des gentilshommes gascons.

Cinq kilomètres plus loin, sur une autre colline, la ville de Miradoux doit son existence elle aussi à une bastide du XIIIe siècle. À cette époque, l'hôpital Sainte-Madeleine était tenu par les chevaliers de Saint-Jean-de-Jérusalem et sur la partie la plus élevée subsistent les ruines d'un *Temple* des Templiers.

D'autres traces de ces moines soldats existent encore sur le sentier. Ainsi, les restes du vieux château de Gachepouy, sur un piton rocheux au milieu de la plaine, témoignent du passage des pèlerins, car le randonneur peut apercevoir du sentier une grande coquille Saint-Jacques sur le fronton principal.

Ainsi, de château en château, Lacassaigne, Sainte-Mère et Rouillac, j'arrive à Lectoure, une grande ville, qui fut un oppidum préhistorique, la capitale des Lactorates. Les Romains en firent une place forte qui devint la cité administrative de l'Aquitaine. Au XVe siècle, les comtes d'Armagnac y construisirent leur château. Cette ville républicaine a fourni sept généraux à la Révolution; le plus célèbre, le général Lannes, servit sous Napoléon. Aujourd'hui, l'imposante cathédrale Saint-Gervais occupe l'emplacement d'un temple gallo-romain de Cybèle. J'aurais aimé la visiter, mais on y célébrait un service funèbre et seuls les invités pouvaient pénétrer dans l'enceinte. D'autres beaux édifices rappellent également son passé glorieux: l'hôtel de ville du XVIIe siècle, le palais des évêques et la résidence du maréchal Lannes.

J'ai réservé une chambre dans un Relais Saint-Jacques, situé juste aux pieds des murailles à côté du sentier. Cet établissement, moitié hôtel, moitié gîte municipal, ferait figure de modèle pour l'accueil et les services fournis aux randonneurs. Malheureusement, c'est le seul que j'ai connu.

Comme les pieds de mes compagnons de marche leur causent des problèmes, nous avons décidé de couper la prochaine étape de trente-quatre kilomètres en deux et de nous arrêter à La Romieu. Le sentier fait alors un détour comme s'il allait à la rencontre des pèlerins qui venaient de Rocamadour. Ce site exceptionnel se trouve au carrefour de deux vieux itinéraires, celui de Rocamadour bien sûr, mais aussi de l'ancienne voie romaine qui descendait d'Agen.

Cette belle cité médiévale a été construite autour du monastère des Bénédictins, dès le Xe siècle. La présence des remparts laisse deviner que les moines devaient servir de protection aux pèlerins qui descendaient du nord. La collégiale et le monastère conservent encore leurs cachets d'antan; dans le cloître, un musée fournit de nombreuses informations sur l'histoire du Chemin, de la ville et de la région. Je suis monté au sommet de la tour qui abrite le clocher pour y admirer le panorama. Splendide! Tout autour, une plaine remplie d'une végétation abondante! Cette petite agglomération semble aujourd'hui un peu perdue au milieu des champs, ce qui constitue sans doute une partie de son attrait.

Je trouve un lit dans le gîte municipal, une vieille maison du XIe siècle, avec cour intérieure et escalier en colimaçon, où il faut emprunter une ruelle étroite, sans éclairage, pour s'y introduire. Comme il n'y a qu'un seul restaurant et que les prix sont plutôt élevés, nous nous mettons à quatre pour concocter un repas de pâtes arrosé d'un bon vin de Gascogne.

De Lectoure à Condom, le sentier connaît bien des sinuosités, mais peu de dénivelés. Quelques petites collines viennent rompre la monotonie d'un chemin relativement plat. Pour les randonneurs aux pieds malades, cette promenade d'une quinzaine de kilomètres se veut une journée de repos.

Condom tire son nom, non pas de la petite pièce de caoutchouc que chacun connaît, mais plutôt de l'expression celte *condate dum*, ville confluent. La rivière Baïse en effet coule à travers la municipalité et permet la circulation maritime avec la Garonne. Cette cité, de moyenne grandeur, possède un passé très lointain. Dans la falaise calcaire qui domine la ville, les chercheurs ont trouvé des traces d'hommes préhistoriques. Des grottes creusées par l'érosion permettaient sans doute aux premiers habitants de se protéger des dangers de l'extérieur. La ville doit sa croissance au fait que la rivière, navigable depuis le début du XIXe siècle, a favorisé le commerce avec la région. La cathédrale Saint-Pierre construite dans un style gothique flamboyant demeure sans contredit le plus bel édifice de la ville et pour cette raison mérite le détour.

Nous logeons dans le gîte municipal, un grand gîte ouvert à tout vent. Avant de partir pour la messe du soir, nous apercevons un pèlerin qui se cherche un matelas, malgré un écriteau à l'entrée indiquant *complet*. Je l'invite à rencontrer la personne responsable qui pourra sûrement lui trouver un lit ailleurs. Ce randonneur semble si peu posséder les caractéristiques du marcheur: souliers de tennis, petit sac à l'épaule. De plus, il paraît perdu dans les brumes de quelque hallucinogène. Un doute, quant à la nature de *son pèlerinage*, agite mon esprit. Au retour de la messe, le doute a disparu, le faux pèlerin aussi, et deux appareils photos également. Monique s'est fait subtiliser le sien dans son sac, placé juste à côté du mien. L'histoire se répète: la meilleure façon pour le loup d'entrer dans la bergerie, c'est de se déguiser en mouton.

Le lendemain, 9 septembre, le départ se fait dans la tristesse. Il pleut abondamment et Monique a décidé de se rendre à la gendarmerie pour enregistrer le vol, sinon les méfaits risquent de se renouveler. Georges, à cause de ses problèmes de pieds, doit s'arrêter chez le médecin. Avant de partir, nous nous donnons l'accolade, car nous ne nous reverrons plus. Nous marchons ensemble depuis cinq jours et encore une fois, je me retrouve seul. Trente kilomètres à parcourir pour atteindre Eauze et cela, sans aucune réservation.

Je ne déteste pas marcher sous la pluie, quand il ne vente pas trop. C'est même agréable. Ce matin, j'ai l'impression d'avancer comme une mule, sans penser, sans rêver, simplement marcher. Je me retrouve vers 11h00 à Montréal (sur le Gers) comme par enchantement. Une belle petite ville, propre, bien aménagée. Je cherche un petit bar pour prendre une bouchée. Rien. Le dimanche, tout est fermé. Sous les arches de la préfecture, je grignote des cacahouètes à l'abri de l'intempérie, quand Georges, le Lyonnais, m'y rejoint et me donne la moitié d'un melon qu'une fermière vient de lui offrir en traversant son champ. Ses pieds tiennent le coup, il ira voir un médecin à Eauze, demain, lundi. Au sortir de la ville, la pluie a cessé.

Je voulais visiter Séviac, une ancienne cité romaine dont les fouilles archéologiques ont permis d'exhumer des trésors du début de notre ère, mais je ne réussis pas à trouver le chemin qui m'y conduira. J'ai cherché en vain les indications. En consultant mon guide, je me rends compte qu'il aurait fallu que je prenne une déviation avant d'entrer dans la ville, mais il pleuvait tellement, je n'ai rien vu. Au milieu de l'après-midi, j'avance dans un drôle de tunnel. En fait, il s'agit d'une ancienne voie ferrée abandonnée au début des années soixante. De grands arbres ont grandi de chaque côté de la voie et les cimes de ces arbres se rejoignent pour former une voûte. Quelle sensation de marcher dans un tel sentier, seul, avec ce soleil timide qui commence à percer les nuages et les branches des arbres !

Dans une trouée de mon tunnel, un petit écriteau annonce: Estoubet, gîte équestre pour pèlerins, à quatre cents mètres. Comme je n'ai rien réservé, ce panneau un peu défraîchi attire ma curiosité. Je quitte le sentier pour y jeter un coup d'œil. Magnifique ! Il s'agit d'un gîte équestre pratiquement inoccupé, tenu par des Hollandais. Et quelle gentillesse, quelle générosité envers le pèlerin ! Deux jeunes enfants, un garçon de 6 ans et une fille de 8 ans, me conduisent à leur mère qui me fait visiter les lieux. Pendant que je fais ma lessive, Georges arrive, suivi de près par Monique. La Providence a voulu que nous soyons encore réunis. Au souper, nos hôtes réussissent à créer une véritable atmosphère de famille en compagnie de leurs quinze invités. Pour couronner le tout, nous pouvons déguster un excellent armagnac pour faciliter la digestion, à la fin du repas. Pour le coucher, nous avons droit à une chambre individuelle. Un vrai luxe sur le chemin ! Et quelle nuit paisible à la campagne !

Après un bon déjeuner à la mode hollandaise, je retrouve *mon tunnel* avant le lever du soleil. Qu'il est agréable de marcher ainsi dans la pénombre et la fraîcheur du matin ! Pour une fois, nous avançons tous les trois, Monique, Georges et moi-même, côte à côte, extasiés devant la beauté du lieu. À la sortie de ce dernier, la ville de Eauze se présente à nous dans toute son étendue. Cette cité très ancienne avait été la capitale d'un groupe basque, les Eluzates, d'où le nom de Eluza qui se transforma au cours des âges en Eauze. Les Romains en avaient fait une ville fortifiée qui a connu tant de guerres qu'il est difficile aujourd'hui de situer l'époque des différents monuments. Eauze doit aujourd'hui sa renommée à son titre de *Capitale de l'Armagnac*. Les vignes de la région servent principalement à produire cette boisson dont la distillation remonte au Moyen Âge, suite à l'importation des alambics de cuivre arabes. Les Gascons principalement apprécient cette boisson de leur terroir.

Entre Eauze et Nogaro, le sentier serpente durant dix-huit kilomètres entre des vignes du meilleur armagnac, deux immenses champs de maïs et trois petites forêts de chênes. Cette promenade à travers champs nous amène à l'entrée tout à fait magistrale de la cité. La route, construite sur une ancienne voie romaine, horizontale et rectiligne, bordée de platanes, ressemble à un tapis goudronné qui se déroule sous nos pieds. La ville elle-même, un petit bijou d'urbanisme, se définit comme une croisée de chemins. Cette ancienne cité romaine, au carrefour de grands axes routiers, a conservé la symétrie que lui ont donnée ses fondateurs. Les rues comme les maisons sont particulièrement bien aménagées. Seul inconvénient: le bruit d'une piste de courses automobiles à proximité, le circuit Europe 3000, ne cesse de bourdonner à nos oreilles. Mais le tout s'arrête à la tombée du jour. Le centre sportif, à la sortie de la ville, nous accueille et nous permet de passer une nuit agréable.

En ce matin du 11 septembre, le ciel d'un bleu magnifique au moment où nous quittons Nogaro, est loin de laisser présager qu'une tragédie se prépare de l'autre côté de l'Atlantique.

Vers 10h00, je croise un couple de Marseillais qui a fait le *camino francés* l'an dernier. Désireux d'en connaître davantage, je poursuis la conversation avec eux. Notre bavardage est particulièrement néfaste: nous manquons une balise essentielle et nous nous retrouvons en pleine campagne sans aucun point de repère pour nous orienter. Perdu dans un immense champ de maïs, je me laisse guider par Hervé, le Marseillais, qui ne cesse de répéter:

— Oui, oui, je l'ai, c'est bon. On y arrive.

Penché sur ses cartes routières, il semble si sûr de lui que je crois toujours qu'il a raison. Finalement, la sauce se gâte et la situation s'envenime. Une discussion entre lui et sa femme, commencée comme une chanson, tourne rapidement au vinaigre. La moutarde leur monte au nez. L'orage éclate. Les gros mots et les insultes fusent de toutes parts, signes avant-coureurs de la tragédie. Avant d'être témoin impuissant d'un drame passionnel qui va retarder ma marche, je fais volte-face pour revenir en solo à la dernière balise bien identifiée. Rendu à la petite chapelle où j'ai perdu ma trace, comme d'habitude, je m'adosse au portique, et là sur la droite, j'aperçois la balise. Notre faute: nous sommes sortis du lieu sacré par la mauvaise porte, celle de gauche et le bavardage incessant du couple a nui à ma concentration. Bilan de l'événement: un six kilomètres qui s'ajoute...

Peu après, le sentier reprend sur une longue ligne droite surélevée, une ancienne voie romaine. Seul, sur le sentier, mes rêves me ramènent souvent en arrière, à l'époque de mes études classiques. Je me revois, absorbé, feuilletant de gros dictionnaires latins, en train de traduire l'un des sept livres de Jules César, *La Guerre des Gaules*. Je m'imagine le Grand Jules, à la tête de ses légions, déambulant dans un tintamarre de piétinements de chevaux, de roues de chariots, et de martèlement de douze mille sandales de bois qui frappent en cadence les dalles de ces mêmes voies romaines. Sûrement que le passage d'une légion romaine de six mille hommes devait impressionner la population gauloise. Durant ces années de ma jeunesse, j'admirais beaucoup Labienus, l'homme de confiance de César, qui commandait la dixième légion. Ce lieutenant, au jugement sûr, ne perdait jamais ses ressources, même dans les situations les plus dramatiques. Les hasards de la guerre ont voulu qu'il meure en héros dans une embuscade tendue par les Germains. Bien des années plus tard, assis sur le rebord du lit de mes fils, avant qu'ils ne s'endorment, je me plaisais à leur lire les récits de ces Gaulois qui ne se gênaient pas pour défier le Grand Jules. Mes enfants adoraient ces aventures d'Astérix, d'Obélix, et de tous les autres noms en *ix*. Aujourd'hui encore, sur ces mêmes chemins rocailleux, il m'arrive parfois de me retourner, croyant entendre derrière mon dos une de ces voix du passé:

— Des Romains, des Romains,...

En après-midi, lors de la descente d'une colline, quelle surprise! J'aperçois pour la première fois les Pyrénées qui se profilent à l'horizon. Je m'arrête pour contempler les montagnes, pendant que je sens l'émotion grandir en moi à l'idée d'arriver déjà à la frontière espagnole. Mes yeux ne cessent de se tourner vers le sud comme l'aimant vers le nord. C'est donc vrai, je vais bientôt frapper aux portes de l'Espagne. Ce nouveau panorama me donne un regain de vie. Georges, le Lyonnais, a réservé une chambre à *La Castera*, dans une maison d'un ancien village protohistorique. La dame accepte de nous prêter une petite maison voisine de la sienne et de nous servir le repas du soir, à la condition d'être au moins trois. Je vais donc me retrouver sur cette colline très connue des gens de la région avec Georges et Monique, mes deux aimables compagnons de marche. Notre point de ralliement: la place centrale de Barcelone près du camping. Au moment de passer près d'un premier camping, je me fais à l'idée qu'il y en avait un deuxième, près de la ville de Barcelone-sur-le-Gers, vu que le cours d'eau traverse la municipalité. Erreur fatale: un gentil monsieur sur la place du marché m'explique qu'il n'y a qu'un seul camping, à trois kilomètres d'ici, près du sentier d'où je viens. Je fais donc demi-tour et reviens sur mes pas. Quand j'arrive sur la haute colline de *La Castera* à 18h30, je suis exténué. Mes deux erreurs de parcours m'ont fait franchir quarante-deux kilomètres. Je sors à peine de la douche que notre hôte, une dame âgée, vient nous avertir de nous rendre tout de suite à sa maison, de terribles événements viennent de se produire. Et c'est là dans cette petite maison de pierres fort sympathique que nous assistons en direct à la chute des deux tours du World Trade Center de New-York.

La dame nous a préparé un excellent repas, mais l'appétit nous a quitté complètement. Cette septuagénaire, apeurée par l'avènement d'une troisième guerre mondiale, comme le prédisent certains journalistes, ne réussit pas à maîtriser sa nervosité. Nous avons beau essayer de lui expliquer que cet événement garde pour le moment un caractère local, qu'il concerne avant tout les États-Unis, rien ne peut empêcher les tristes souvenirs de sa jeunesse de remonter constamment à sa mémoire.

Le lendemain, attristés par les événements, nous nous quittons tous les trois avec la promesse de nous écrire. Monique vient me reconduire jusqu'au bout du promontoire, me soutirant la promesse que je vais lui envoyer un mot, dès mon arrivée au Canada. Cette fois, il s'agit bien d'un adieu définitif, car elle doit ménager ses forces pour se rendre jusqu'à Santiago. Georges, de son côté, doit s'arrêter chez un médecin. Ce n'est pas la première fois que ses pieds le font souffrir, mais hier, la douleur trop intense l'a forcé à déposer le sac souvent. La difficulté pour trouver des gîtes, à mon avis, n'est pas étrangère à son problème physique. À chaque fois que quelqu'un souffre dans son corps, il suffit de gratter un peu pour apercevoir derrière cette douleur, une désillusion, une diminution dans la motivation, une baisse d'intérêt, ou encore tout autre perturbation étrangère comme une difficulté de relation interpersonnelle ou une mauvaise nouvelle venue de la famille. Le chemin exige un don total, un sacrifice de tous les instants. Tout élément nouveau qui vient perturber cette exigence crée souvent un problème physique. Vu de l'extérieur, cette réflexion peut sembler sans fondement, pourtant, à maintes reprises, d'autres pèlerins ont tiré les mêmes conclusions que moi.

Le Chemin est semé de ces adieux où, à la tristesse de l'absence sans retour se mêle toujours un faible espoir de se revoir.

Le Béarn

Le Béarn joue le rôle de trait d'union entre la Gascogne et le pays basque. Ce duché frontière, longtemps déchiré par ses voisins belliqueux, sortit de l'oubli avec l'avènement du roi Henri IV qui, de simple petit duc, devint par alliance Roi de Navarre et finalement Roi de France. Annexé par Louis XIII au royaume de France, cet ancien petit état obtint un statut particulier qu'il a conservé jusqu'à aujourd'hui. Ce département s'est joint par la suite à celui du pays basque pour former un gouvernement régional qui siège dans la ville de Pau et donne à cette région de France une certaine autonomie qui fait bien des envieux.

Après mon départ de *La Castera*, je me retrouve tout de suite aux portes de Aire-sur-l'Adour, une grande ville au passé historique très chargé. Au Ve siècle, cette place forte fut la capitale des Wisigoth avant que Clovis, roi des Francs, remporte en 507 une victoire décisive sur les Ariens commandés par Alaric. Par la suite, les comtes d'Armagnac en firent la capitale de l'Aquitaine. Depuis le pèlerinage de l'évêque Godescalc, cette ville est devenue une escale importante pour les pèlerins, à cause du culte voué à sainte Quitterie. Cette jeune princesse d'Espagne aurait été décapitée par les Wisigoths en 476, et depuis ce temps, les habitants de la région vénèrent ses reliques. Aujourd'hui encore, les statues de cette sainte se retrouvent à maints endroits dans la ville. En plus d'avoir un piédestal de choix dans la cathédrale, une église ancienne porte son nom et un monastère a été construit à sa mémoire, où il est possible d'admirer un magnifique sarcophage.

La traversée d'une ville, hormis la visite des églises et des musées, offre peu d'attraits. Avec son sac à dos, son bâton et des vêtements souvent défraîchis, le marcheur habitué au silence des sentiers, en plus d'offrir une image anachronique, doit subir le bruit des klaxons, le mouvement des voitures et se concentrer sur les passages piétonniers, ce qui exige une concentration constante et obnubile toute forme de réflexion. C'est avec joie donc que je quitte Aire-sur-l'Adour pour le silence de la campagne. Et quel silence pour cuver ma tristesse et ma solitude! Seul encore une fois, je dévore le sentier à travers des champs de maïs qui se succèdent sans cesse. Trente kilomètres de champs de maïs. Oh! Il y a bien ici et là quelques bocages, un flanc de colline couvert de vignes, mais si je lève les yeux et que je jette un regard circulaire... Du blé d'Inde partout! Et, pour comble de malheur, je m'égare au moins cinq ou six fois. Il suffit que la roche ou le poteau sur lesquels repose la balise aient été enlevés ou déplacés par les fermiers du coin, et je suis cuit. Perdu! Je ne sais par quel miracle mes pas finissent toujours par rejoindre le sentier. La Providence veille sur les pèlerins, dit-on, mais certains jours, elle ne chôme sûrement pas. Bien des fois, aujourd'hui, j'aurais voulu être ailleurs. Mais Felice sait que je marche pour elle, je continue... Dure la promesse!

Miramont, mon premier village, se pointe après vingt kilomètres de champs de blé d'Inde. Un beau village qui domine la plaine et qui surveille la croissance du maïs. Monique doit s'y arrêter. La tentation est grande d'en faire autant. Mais je n'ai plus le choix: mon plan d'étapes, préparé avant le départ, indique déjà trois jours de retard. Je dois enfoncer l'accélérateur. Les pieds des autres ne peuvent plus me servir d'excuses.

Au début de l'après-midi, je rattrape Michel, Jean et Joseph, les hommes de Poitiers. Ils ne sont pas seuls. Des membres de la famille de Joseph sont assis avec eux en train de casser la croûte. Joseph se détache du groupe et vient à ma rencontre. Il veut me parler seul à seul, m'apprendre la triste nouvelle: un médecin l'oblige à s'arrêter. Nous avons connu le même mal de jambes, avant d'arriver à Livinhac-le-haut, nous sommes allés ensemble à la pharmacie et comme me l'a prédit la future maman, pharmacienne, mon mal est disparu après trois jours. Pour Joseph, la situation s'est plutôt aggravée. Tout effort pour marcher entraîne de très vives douleurs et parfois la souffrance devient franchement intolérable.

J'aime bien cet homme bon et généreux, qui s'exprime toujours avec douceur et adore marcher seul, isolé de tout groupe. Il n'a jamais caché qu'il accomplissait ce pèlerinage pour nourrir son âme assoiffée de valeurs religieuses. Nous avons fait souvent des bouts de sentiers ensemble quand nos pas se sont croisés au hasard du chemin. Son métier d'enseignant et son goût pour les lettres nous rapprochaient et alimentaient des conversations faites de parcelles de réflexion, d'échange d'idées ou de points de vue. Son propos ne sombrait jamais dans la banalité. Ce pèlerin qui part, c'est déjà un ami, un frère qui s'en va...

Nous revenons vers le groupe bras dessous bras dessus. Joseph me présente à sa famille, puis, nous nous donnons l'accolade avant de nous quitter. La coutume veut que, sur le chemin, l'on se donne l'accolade comme des frères, sans distinction de sexe, à bras le corps, et que l'on serre fort. C'est un geste vrai, complet et entier, qui ne souffre pas de demi-mesure. Tous ceux qui ont vécu le chemin à fond vous le diront: cette authentique vérité qui anime le pèlerin se transmet autant par le contact du corps que par toutes autres manifestations de la pensée ou du cœur. Ceux qui donnent la main du bout des doigts ou effleurent la joue d'une dame d'un petit bec charmeur ne font pas encore partie du chemin. Les pèlerins s'aiment d'un amour plus robuste.

Au moment de partir, Michel m'offre de prendre la place de Joseph. Des réservations pour trois personnes ont déjà été prises pour les cinq prochains jours selon des étapes réparties assez également. Joseph tient à ce que je prenne sa place, et cela, avec l'accord de Jean et de Michel. Nous nous connaissons mieux. Je les ai croisés chaque jour sur le sentier depuis mon départ du groupe, je sais que tout ira bien maintenant. J'accepte volontiers. Dorénavant, ma recherche de gîte terminée, un toit m'est réservé à chacune des étapes jusqu'à la frontière espagnole

Finalement, en jetant un regard en arrière, je me rends compte que cette difficulté de trouver des gîtes comportait des éléments positifs: d'une part, cette situation m'a tenu sur le qui-vive et m'a permis de rester très attentif à tout ce qui se vivait sur le chemin; d'autre part, les maisons de ferme, les gîtes équestres et même le centre sportif m'ont permis de très agréables rencontres. Ces soupers autour d'une table commune où chacun raconte ses péripéties du jour, laissent en ma mémoire les plus beaux souvenirs de mon séjour en France.

Quant aux derniers dix kilomètres de champs de maïs, nous les parcourons à trois. Le sentier reprend la route goudronnée qui traverse trois petits villages: Sensacq, Pimbo et Boucoue. Dès le premier, nous nous dirigeons vers le cimetière pour remplir nos gourdes. Comme vous le savez déjà, c'est auprès de ces grands disparus que l'on retrouve la meilleure eau en France. Ainsi revigoré, je trouve un plaisir nouveau à marcher avec Jean et Michel. Nous entrons dans Arzacq-Arraziguet, l'un derrière l'autre, savourant cette ravissante fin d'après-midi de septembre. En prime, un gîte tout neuf de trois lits par chambre, nous attend pour une nuit reposante et bien méritée.

Ce matin, 13 septembre, je pars sans aucune réserve de nourriture. Plus de cacahouètes ou fruits séchés. Rien. Hier, en passant devant l'épicerie, nous nous informons de l'heure de fermeture du magasin. «À 19h00 comme d'habitude», nous répond gentiment une dame. Nous nous rendons, à 18h30, faire nos emplettes. Tout est fermé. Le garagiste à côté nous affirme qu'il ouvrira ses portes à 8h00 le lendemain matin. Donc, à 7h50, je m'approche de l'épicerie pour refaire le plein. Deux dames lavent les planchers. «On ouvre à 9h00», me lancent-elles du fond de l'établissement. Aucune envie de *poiroter* encore une heure. La matinée bien fraîche, le soleil à peine levé, d'autres champs de maïs m'attendent avec impatience. «Je trouverai sur le chemin», me dis-je en bouclant mon sac pour le départ. Or, une fois sur le sentier, la bonne nouvelle: le royaume du blé d'Inde se transforme en d'autres cultures plus agréables à contempler; la mauvaise nouvelle: aucune épicerie. Même Louvigny et Larreule, de jolis petits bourgs avec leur église romane, ne possèdent pas de centre alimentaire. Inutile de compter sur Jean et Michel, car le matin, en se quittant, ils m'ont informé que le fils de Jean vient leur rendre visite aujourd'hui et qu'ils vont faire route ensemble, à pied ou en voiture. Donc, aucune oreille n'entendra mon appel au secours, ma condition de pèlerin au ventre creux risque de perdurer...

À midi, j'ai beau boire de l'eau à satiété, fréquenter tous les cimetières, le manque de vitamine commence douloureusement à se faire sentir. En traversant Uzan, je parcours, les jambes molles, toutes les ruelles à la recherche de nourriture. Non seulement aucune épicerie ne se présente à ma vue, mais encore aucun habitant ne se pointe le museau. Une agglomération morte. De fait, dans ces petits bourgs, souvent les gens vont travailler à la ville le jour et reviennent le soir coucher à la maison. À l'approche de 13h00, je fais mon deuil de toute nourriture. Je me sens comme un chameau dans le désert. Je dois absolument tenir le coup, il me faut franchir mes vingt-huit kilomètres l'estomac vide. À ce moment, par hasard, un petit panneau fixé à un piquet de clôture bat au vent: 200 mètres, fruits et légumes. Une maison de ferme, peu visible du chemin, sise au bas d'une colline, ouvre ses portes aux randonneurs. Poussé par la faim, j'accours le plus rapidement possible. Une fermière très affable a installé parasols, tables et chaises de jardin devant sa maison et converti son salon en petite épicerie de dépannage. En un tour de mains, bananes, pommes et pêches apparaissent devant moi, accompagnées d'un bon verre de vin du pays. Puis suivent de larges morceaux d'une tarte aux myrtilles et d'une autre aux pommes qu'elle a cuisinées elle-même. Cette dame vient de me sauver la vie.

Ainsi revigoré, j'accélère le pas et rejoint Michel, Jean et son fils, à quelques kilomètres à peine de Arthez-de-Béarn. Ils me racontent que Michel a réussi à rejoindre le fils de Jean par téléphone cellulaire, qui s'est occupé d'acheter des vivres, pour eux aussi la besace à provisions sonnait creux. De mon côté, sans moyens techniques à ma disposition, j'ai encore une fois fait confiance à la Providence qui s'est chargée de venir en aide au pauvre pèlerin que je suis.

Décidément, ce jeudi, 13 septembre, la malchance ne lâche pas prise. En arrivant au gîte, à deux pas de la mairie, nous constatons que ce dernier offre des services minables: matelas défoncés, cuisine minuscule, et une seule toilette à aire ouverte (douche, lavabo et toilette dans la même pièce sans séparation) pour vingt-cinq randonneurs. Et le tout dans des conditions de salubrité épouvantables. De tous les sens sollicités, l'odorat surtout nous invite à terminer rapidement l'ouvrage déjà commencé. À la recherche d'une alternative, nous allons sonner au seul hôtel de l'endroit. Complet. Il faut donc prendre notre mal en patience. *Un pèlerin ne demande rien, n'exige rien, il prend ce qu'on lui donne*. Mais tous ne se rendent pas à Saint-Jacques. Dans le gîte, le ton monte et les propos qui s'y tiennent n'ont pas tous reçu la bénédiction céleste. Pour calmer les esprits, la vieille dame infirme, responsable du gîte, nous affirme que des rénovations vont avoir lieu dès novembre, que la mairie a déjà accepté les plans d'aménagements des lieux. Mince consolation pour le pèlerin actuel!

Comme un malheur n'arrive jamais seul, les deux restaurateurs ont décidé de fermer leur porte ce soir. La raison? Aucune. Nous sommes un jeudi, et non un lundi, jour de relâche pour la restauration à la grandeur du pays. Une excellente partie de *foot* à la télé, prétend un loustic. Selon Jean, le publiciste, parisien de surcroît, la France a parfois de ces sautes d'humeur imprévisibles et les Français, d'autre part, ne cesseront jamais de nous étonner. Heureusement, la boulangère, et sa jolie aide de camp, se mettent à la tâche pour ravitailler les vingt-cinq marcheurs épuisés et affamés. Elle chauffe si bien son four à pain pour nous préparer des pizzas maison que les plombs sautent. Le résultat: vers 21h00, nous dégustons une excellente assiette italienne, arrosée du vin du pays, le gars du bar ne se faisant pas prier pour nous refiler quelques très bonnes bouteilles, à la condition d'y mettre le prix. Finalement, cette journée mouvementée se termine dans la gaieté la plus cordiale comme il arrive souvent à la suite d'épreuves communes partagées entre amis.

Le matin, après un départ qui sent le sauve-qui-peut, une pluie fine se met à nettoyer nos habits souillés et à chasser lentement les odeurs du gîte. Déjà, l'approche des Pyrénées montre ses premiers signes et le paysage se transforme. Dépassé le petit village de Maslacq, j'entre dans une forêt dense réservée à la chasse. La montée vers la colline de Notre-Dame-du-Muret, un petit sanctuaire du XIIIe siècle, exige des efforts que je commençais à oublier. J'adore marcher seul dans ces sous-bois. Au cours de l'avant-midi, je ne rencontre qu'une seule personne, un chasseur, qui semble s'adonner davantage à la marche qu'à la chasse. Puis, dans la vallée, la ville de Sauvelade apparaît comme une oasis. Une belle petite ville entre deux forêts! Que fait-elle là, perdue, égarée? Je l'ignore. Après une courte visite à l'église romane, je reprends le bois pour le reste de l'après-midi. Les averses se font de plus en plus espacées. Après trente-deux kilomètres de pluie, j'arrive vers 16h00 à Navarrenx, bien lavé, les poumons pleins de ces bonnes odeurs de la forêt.

Navarrenx, ancienne capitale du royaume de Navarre et patrie du roi Henri IV, est encore ceinturée de remparts presque de tous les côtés, ce qui donne un cachet particulier à cette ville. L'entrée dans cette cité médiévale séduit le pèlerin par ses aspects pittoresques. Le chemin arrive du côté nord traversant une ville plus moderne, Méritein, qui fait office de banlieue à cette ancienne place forte. Sur les hauteurs, je longe des ruines, des fortifications qui protégeaient les remparts. En descendant vers la ville, j'ai tout le loisir d'observer l'ensemble du système de défense. Je franchis ensuite les murs d'enceinte, la tour de guet et mes pas suivent tout naturellement la seule grande rue qui mène à la place centrale. Autour de celle-ci, s'élèvent les édifices principaux: la chapelle royale, la mairie, les bureaux administratifs et plusieurs terrasses ou restaurants qui ont, au cours des ans, fait leur niche dans de grandes demeures des nobles de l'époque ancienne.

Notre gîte, celui de la municipalité, situé dans un ancien monastère des Bénédictins, au-dessus de l'Office du tourisme, ressemble à nos dortoirs de collège, quant à sa dimension et à la manière dont les lits sont rangés. Pour y parvenir, il faut traverser l'Office du Tourisme, ou emprunter un long couloir avec arcades et colonnades, franchir une cour intérieure, monter un large escalier en colimaçon et, tout en haut, sous le toit, une vaste salle s'ouvre à tout venant. Aux deux extrémités, une salle de bains à aire ouverte, qu'un simple rideau de douche sépare des yeux indiscrets. Comme nous sommes une quarantaine de personnes à partager les lieux, il s'y fait un va-et-vient incessant. La discrétion et la diligence semblent heureusement se marier avec un certain bonheur.

À l'heure de la messe, dans la chapelle royale, parce qu'aucun membre du clergé ne se trouve sur place, un historien du lieu nous donne une conférence sur le roi Henri IV. Avec une simplicité que l'on retrouve rarement dans de tels cas, cet homme très versé dans sa science présente une fresque imagée de cette époque devant un auditoire d'une vingtaine de randonneurs. Après quarante minutes appréciées du public, il nous invite à partager une coupe de vin avec quelques notables dans la cour du presbytère, juste à côté. Au cours de l'échange, une dame, sachant que je suis Canadien, s'approche pour me parler de sa fille unique qui fait carrière au Canada, comme premier violon dans l'orchestre symphonique d'Ottawa.

Pour mettre une touche finale à cette magnifique journée, la patronne du restaurant près du gîte nous prépare un repas *personnalisé*. Cette femme, qui n'est jamais sortie de Navarrenx, dont les parents et les grands-parents ont été propriétaires de ce restaurant, prend un vif plaisir à nous faire goûter à sa cuisine, à ses vins préférés, et ce, pour une somme modique. Je ne me rappelle pas du tout de la composition des plats et du nom des vins que nous avons ingurgités. Un seul souvenir me reste: le retour au gîte bras dessus bras dessous, certaines difficultés à monter l'escalier en colimaçon et quelqu'un qui vient à notre rencontre pour nous inviter à plus de silence. Puis, le temps d'un clin d'œil, Morphée, le dieu du sommeil, m'amène au pays des rêves.

Le lendemain matin, en franchissant la porte Saint-Antoine, je sais que nous allons quitter le Béarn au cours de la journée. En effet, après avoir traversé une forêt d'une dizaine de kilomètres, le donjon du château de Mongaston apparaît au faîte d'une colline. Cette place forte, entourée d'une muraille fortifiée, avait pour office la surveillance de la frontière entre les deux pays. L'édifice imposant m'attire par sa beauté et l'élégance de son architecture. Je monte sur la colline pour une courte visite. Effort inutile : une simple feuille de papier sur la porte centrale indique que le château est fermé momentanément à cause de travaux de réfection. De ces hauteurs, cependant, quel paysage magnifique ! Les verdoyantes collines du pays basque montent en cascades vers le sommet des Pyrénées. Loin de me décourager devant le chemin à parcourir, la vue de ce panorama m'invite à avancer et à découvrir ce nouveau pays.

Le pays basque

Un simple ruisseau, au pied du château Mongaston, sépare le Béarn du pays basque. Une séparation apparemment anodine, et pourtant tout devient différent: les collines se font plus imposantes, les termes basques apparaissent sur les panneaux routiers et les grandes maisons blanches, ornées de pierres rouges, remplacent les petites habitations des fermiers béarnais. Le pèlerin, sans le savoir, a soudain l'impression d'entrer dans un autre pays. La réalité ne trompe pas. Depuis des milliers d'années, ce peuple d'une origine inconnue des nations européennes occupe les deux versants des Pyrénées. Différent par ses traits physiques, ses habitudes, sa langue et ses coutumes, ce peuple non officiellement reconnu constitue une race typique de la vieille Europe. Ma rencontre avec ces gens fort sympathiques et quelque peu méconnus demeure l'un des plus beaux moments du chemin.

Michel avait réservé à la ferme Bohoteguya, une grande maison qui peut accueillir une douzaine de personnes. Malgré la gentillesse et la générosité de ce couple âgé, qui selon certains n'ont de basque que le nom, le décor n'est pas vraiment invitant. Pour une fois, nous entrons sur une ferme encore en opération, ce qui signifie que pour se rendre à la maison, il faut se frayer un passage entre les poules et les cochons. Même si les animaux ne pénètrent pas dans le dortoir, leur présence se fait constamment sentir. En d'autres mots, l'ouïe et l'odorat, continuellement sollicités, jouissent d'une importance capitale. Semblable à ceux des gîtes communaux, le dortoir serait classé comme acceptable; de leur côté, les lieux d'aisance laissent vraiment à désirer. Il faut une certaine dose de courage pour s'y aventurer. Quant à l'hygiène générale à l'heure des repas, il vaut mieux fermer un œil pour savourer le fumet du pot-au-feu. Comme c'est généralement le cas en France, le vin est excellent, ce qui permet de noyer quelques soupçons. Finalement, à ma connaissance, aucun ne se porte malade et nous reprenons la route sans regret, le lendemain, heureux d'en sortir. Personne, sur le chemin, ne manifeste le désir de revenir le soir suivant.

En quittant la ferme, nous entrons de plain-pied dans le pays basque. De village en village, de colline en colline, le sentier serpente dans des décors d'une grande beauté. La fierté de ces gens se voit de mille manières: des fermes propres, des instruments aratoires bien rangés, et de belles maisons blanches toujours bien entretenues. Sur le sentier, le randonneur peut là aussi observer des changements: des barrières de métal pour le passage des animaux s'ouvrent et se ferment sans aucune difficulté; des balises d'un format nouveau (sous forme de bornes en cône) apparaissent soudain; et la coquille, symbole du chemin de Saint-Jacques, multiplie sa présence. Les Basques ne négligent rien pour accueillir des étrangers et se plaisent à rendre leur séjour agréable.

Au fur et à mesure que le pèlerin progresse, il traverse de très jolis villages:Aroue, Oihaïby et Larribar. Une marque distinctive: dans chaque bourg, un mur imposant s'élève sur la place centrale, le fronton pour le jeu de la pelote basque. La pratique de ce sport reste une coutume bien vivante au sein de la population. Chaque jeune, garçon et fille, doit s'y adonner obligatoirement. Régulièrement, des compétions sont organisées entre les agglomérations, une manière de maintenir les liens entre les différentes régions du pays.

Le sentier, dans le pays basque, ne connaît pratiquement plus d'espaces plats. Les collines prennent du volume et les Pyrénées qui s'élèvent au sud ont engendré à leurs pieds une multitude de petites montagnes. Après la rivière La Bidouze, une première montée s'impose à la vue, le mont Gibraltar. Cette montagne, en forme de piton rocheux, fut jadis le point de rencontre des trois chemins qui venaient du nord: celui de Tours, celui de Vezelay et celui du Puy-en-Velay. Depuis 1964, une stèle en forme de croix basque indique précisément le point de jonction des trois voies.

La montée du mont Gibraltar présente certaines difficultés, non pas uniquement à cause de la forte pente, mais plutôt par la constitution elle-même du roc. Cet immense bloc de pierre est complètement dépouillé de végétation. Phénomène géologique ou atmosphérique, la pluie semble l'avoir lavé de toute terre. Ce midi, un groupe de randonneurs s'y sont donné rendez-vous. À les voir peiner, il est facile d'observer que cette montagne comporte des exigences et qu'un marcheur peu entraîné risque d'y laisser des sueurs. Parvenu au sommet, je m'assois sur une pierre pour grignoter des cacahouètes, sur le versant opposé au groupe. Un temps couvert laisse filtrer des rayons de soleil, créant ainsi des puits de lumière qui illuminent ici et là les collines qui ondulent en bas. De cette hauteur, les grandes habitations basques ressemblent à de minuscules maisons de poupée qu'un Dieu inconnu, d'une main nonchalante, aurait distribuées à tout hasard à travers les vallées. Ce panorama continuellement changeant ne cesse de me fasciner.

C'est à ce moment-là que Jean-Luc, un Français probablement, arrive devant la stèle, à quelques mètres de moi. De lui, je ne connais que le nom. Tête blanche comme la mienne, marcheur solitaire, nos pas se sont croisés cinq ou six fois. À chaque occasion, nous échangeons quelques mots, sans plus. Je respecte son besoin de solitude. En l'apercevant, je lui montre une pierre devant moi. Une invitation à s'asseoir. Il plonge sa main dans le sac de cacahouètes que je lui présente et dépose son sac à dos en silence. Son regard s'attarde un moment sur la vallée à nos pieds. «Magnifique! Magnifique!» Puis il sort un bout de pain et une rondelle de fromage qu'il se met à découper, m'offrant un premier morceau. Pendant qu'il mange, nous échangeons quelques propos sans importance sur le sentier, la température ou la beauté du paysage. Cet endroit absolument splendide m'enlève le goût de soulever mon sac et de repartir. Soudain, le regard perdu au loin, Jean-Luc se met à raconter une histoire comme s'il se parlait à lui-même:

— Sur ce chemin, je ne puis pas faire deux pas sans penser à mon fils. Je le vois constamment, j'entends continuellement sa voix derrière mon dos. Des fois, j'ai l'impression que je pourrais le toucher. Il rôde partout où je passe, il met ses pieds dans mes pas et me suit sur les talons à tout instant. Il y a dix ans, je me suis séparé de ma femme, Pierre avait alors quinze ans. Je crois que ce divorce a bouleversé sa vie. Pendant cinq ans, j'ai essayé par tous les moyens de lui faire comprendre la situation. J'ai tenté à plusieurs reprises de lui parler. Je l'ai invité au restaurant et je lui ai même écrit une lettre pour tout lui expliquer. Il n'a jamais voulu entendre quoi que ce soit. Puis, un bon jour, il est parti avec sa mère pour habiter une autre région. Depuis on ne s'est jamais revus...

Ces derniers mots s'écrasent dans sa gorge, comme étouffés par l'émotion. Ses yeux se remplissent d'eau. Je m'approche et dépose ma main sur son épaule. Au contact de mes doigts, ses larmes redoublent d'ardeur et la digue éclate. Ce ne sont plus quelques pleurs, mais un torrent qui monte du plus profond de lui-même. Debout à ses côtés, impuissant devant l'expression d'une telle douleur, je laisse passer l'orage jusqu'à ce que la dernière goutte rende l'âme. Puis, s'étant essuyé les yeux, il se lève et m'ouvre ses bras. Nous nous donnons l'accolade longuement. Après avoir ramassé nos effets, ajusté nos sacs à dos sur nos épaules, nous repartons vers le bas de la montagne, en silence, l'un derrière l'autre. L'image de mes deux fils de 21 et 24 ans, s'impose alors à mon esprit; tout l'après-midi, mes pensées se tournent constamment en leur direction. Heureusement, avec mes gars, une telle situation ne risque pas de se produire, la communication entre nous trois circule facilement. À la première croisée de chemin, je continue vers la gauche, lui vers la droite.

Je traverse la ville d'Ostabat sans m'arrêter, jetant simplement un coup d'œil aux enfants qui jouent sur la place du marché en face de l'église. Ces jeunes, au teint foncé, à la chevelure très noire, attirent mes yeux par leur regard: des tisons de braise d'où jaillit une fierté qui anime leurs moindres gestes. De vrais petits Basques pure laine! Comme le gîte était complet, Michel avait réservé trois lits à la ferme Gaineko Etxea, sur le bord du sentier, à deux kilomètres de la sortie de la ville. La grande maison basque, sise sur le flanc de la colline, offre une vue splendide sur la vallée et sur le mont Gibraltar. Lucie, notre hôtesse, nous reçoit avec beaucoup d'affabilité, s'informant auprès de chaque arrivant de son nom, de son lieu d'origine et des motifs qui l'amènent sur le chemin; le tout, avec tact et cordialité. Cette dame, encore dans la quarantaine, se fait un point d'honneur de retenir nos noms et nationalités et nous aide grandement à nous rapprocher les uns des autres.

Vers 18h00, quand chacun s'est installé convenablement, Monsieur Eyharts, le propriétaire, vient nous rejoindre sur la terrasse, pendant que la mère et la fille, à l'intérieur, mettent une dernière main au repas du soir. En guise d'introduction, il nous offre un apéritif maison de grande qualité qui ouvre la porte toute grande aux côtelettes de mouton que déjà chacun peut humer en sirotant son élixir. Peu après, autour de la grande table familiale, pendant que nous dégustons une soupe faite des produits de sa ferme, il nous explique toute la signification des objets qui ornent la salle à manger, du bâton basque (une arme redoutable) jusqu'aux palettes de pelote basque de ses deux filles. Avec beaucoup de finesse, pour ne blesser personne, il fait un bref historique de la nation basque, de son économie et de sa géographie. Le souper en famille se met en train, comblant d'aise les palais les plus exigeants, dans une belle atmosphère de camaraderie. À aucun moment, la discussion ne dérape sur les questions politiques, situation qui aurait pu engendrer un malaise dans le groupe. Cette soirée termine en beauté mon séjour en France et met un terme au sentier qui me conduit aux portes de l'Espagne. Le lendemain, nous quittons la ferme, les yeux fixés sur les Pyrénées.

Reste un dernier vingt kilomètres de tout repos avant Saint-Jean-Pied-de-Port. En effet, le sentier qui serpente dans la vallée suit le chemin traditionnel, en grande partie avalé par la route nationale. Les villages de Larceveau, Utxiat et Gamarthe ont conservé précieusement à travers les âges le décor des traditions basques. Aucune méprise possible, nous sommes bien au cœur d'un pays très particulier. Après la chapelle Saint-Blaise, nous entrons dans Saint-Jean-le-Vieux, une ville remplie d'histoire sans doute; à cause de sa position géographique, le fond d'une vallée, celle-ci s'est transformée en ville moderne, oubliant les remparts et transformant les vieilles maisons en des demeures plus adaptées au goût du jour. Cette ville s'étire tellement vers Saint-Jean-Pied-de-Port qu'il est difficile de dire à quel moment le pèlerin quitte l'une pour l'autre.

L'entrée dans la vieille ville aux pieds des remparts de la citadelle est tout à fait remarquable. Cette dernière, la citadelle, rappelle la véritable raison d'être de la cité. Poste frontière, ville fortifiée, bastide bien aménagée, tout rappelle son passé militaire. Aux confins des royaumes de France et de Navarre, au pied d'une chaîne de montagnes qui sépare deux états, Saint-Jean-Pied-de-Port est demeuré à travers les âges un endroit stratégique de première importance. La citadelle encore bien conservée, les rues étroites et les hautes maisons, jusqu'à la *Prison des Évêques* et le pont romain sur la Nive, chaque partie de cette ville pourrait nous raconter son histoire. Ce n'est pas sans motifs que tant de visiteurs affluent vers elle.

Pour ne pas trop se mêler aux touristes qui émergent de tous les horizons et pour accueillir agréablement sa mère et sa femme qui viennent lui rendre visite, Michel a réservé un studio sur la Rue de la Citadelle, un appartement vraiment pittoresque au dernier étage d'une grande maison du XVe siècle. La propriétaire, une dame octogénaire, nous reçoit avec gentillesse, nous remet les clés et disparaît sans que l'on sache exactement où elle vit. Un escalier immense au centre de la maison laisse entrer les chauds rayons du soleil de septembre et donne à cette demeure ancienne une ambiance chaleureuse et lumineuse qui évoque son passé glorieux.

Après les tâches coutumières et une visite de la ville, nous nous donnons rendez-vous au gîte municipal pour une dernière rencontre. Vu l'exiguïté du local, après avoir échangé des informations avec les responsables, le groupe que nous formons depuis quelques jours et qui va se dissoudre au cours des prochaines heures, se dirige vers la place du marché jusqu'à la terrasse d'un bar bien chaleureux. C'est là, après un dernier verre de vin, que nous nous donnons l'accolade pour une dernière fois. Seul à poursuivre le chemin, je sais que la traversée des Pyrénées et mon arrivée en Espagne représentent une toute nouvelle aventure.

Plusieurs jours avant mon arrivée aux pieds des montagnes, de nombreux randonneurs m'ont parlé des difficultés possibles pour la traversée des montagnes. Certains disaient qu'il fallait partir très tôt le matin car, vers midi, les nuages qui couvraient les sommets enlevaient toute visibilité. D'autres ajoutaient qu'en cette fin de septembre, des bourrasques de neige et de vent pourraient me forcer à faire marche arrière. La veille, au gîte municipal, un des responsable me rassure: la météo n'annonce aucune catastrophe probable, mais sur la montagne, le ciel se dégage seulement un jour sur dix. La chance va peut-être me favoriser.

Durant la nuit, le sommeil se fait longuement attendre. À la Gaineko, assis au bout de la table, adossé à une fenêtre ouverte, la brise du soir a envahi mes épaules avant que je n'ose les couvrir. Le résultat n'a pas tardé, je me suis levé le lendemain avec une toux qui ne présageait rien de bon. Toute la journée, le microbe a fait son œuvre et, à l'arrivée du soir, les symptômes ne laissent plus aucun doute. Je me suis couché bien congestionné. Perdu dans un demi-sommeil, dès 6h00, mon réveil-matin est venu me rappeler à l'ordre. Un rapide coup d'œil à la fenêtre m'a renseigné: un épais brouillard couvre la ville. Malgré le manque de sommeil, une certaine inquiétude face à cette nouvelle étape et une forte congestion, je tiens quand même à partir.

Même s'ils prennent un jour de congé, Michel et Jean ont décidé de déjeuner une dernière fois en ma compagnie. Au moment du départ, pendant que Michel doit se rendre à la poste pour régler ses affaires, Jean manifeste le désir de faire quelques pas avec moi vers la montagne. Son geste me touche grandement.

Sur le vieux pont romain, dans le brouillard le plus opaque, plusieurs pèlerins se sont donné rendez-vous, et attendent leurs amis en contemplant les eaux tumultueuses qui ruissellent en cascades sur les rochers. Leurs regards traduisent un mélange d'impatience et d'anxiété qu'ils parviennent difficilement à camoufler. Parmi eux, je reconnais un des responsables du gîte qui circule au milieu des petits groupes et distribue ses dernières recommandations. Selon lui, les deux tiers des cinquante-six pèlerins qui se proposaient de traverser les Pyrénées en ce 18 septembre sont déjà en route. À 7h45, par ce matin brumeux, j'entreprends là, au niveau de la rivière La Nive, une marche qui va durer sept longues heures et qui me fera grimper de plus de 4 700 pieds. Rien pour rassurer des narines bouchées et des jambes molles qui flageolent sous l'emprise d'un fort rhume.

Dès la fin de la rue Saint-Jacques, à la sortie de la ville, la pente raide nous permet de nous élever au-dessus du brouillard. Dominant la cité, mollement assise sur un nuage blanc qui l'entoure de toutes parts, la citadelle émerge lentement de la nuit. Un ciel bleu laisse voir les dernières étoiles qui fuient tandis que les premiers rayons du soleil levant qui nous parviennent de l'est rougeoient les sommets endormis. Malgré que le sentier grimpe sans cesse, nous marchons allègrement dans la fraîcheur du matin.

J'apprécie la présence de Jean à mes côtés. Cet homme de soixante-douze ans, plutôt discret et silencieux à l'intérieur d'un groupe, a la parole facile ce matin. Une excellente occasion pour échanger. Nos seuls arrêts sont dictés par la beauté du paysage qui change continuellement au fur et à mesure que le soleil monte dans le ciel. Les jeux d'ombre et de lumière sur les collines verdoyantes ne cessent de nous émerveiller. Le spectacle grandiose de cette féerie de couleurs crée une euphorie grandissante qui relègue dans l'oubli la rigueur de la montée. Jean qui s'intéresse aussi à la photo me signale les plus beaux points de vue pour saisir la nature en mouvement.

Le chemin, appelé la Route de Napoléon, parce qu'il a servi au passage des armées françaises en 1804, était connu dès l'antiquité. Les Romains avaient construit un réseau de routes qui convergeaient vers ce passage et reliaient les grandes voies romaines entre Bordeaux et Astorga. Au IIIe siècle, les Espagnols l'avaient baptisée la Route de l'Étain, car des caravanes y transportaient le précieux métal d'alors. Aujourd'hui, utilisé par quelques bergers qui veillent sur une multitude de troupeaux de moutons qui broutent dans les vallées ou sur les flancs des collines, le chemin sert au pèlerin qui traverse en Espagne et au passage des animaux qui vont d'une vallée à une autre. Le sommet des montagnes, un mélange de roches et d'herbe très courte, se dévoile au fur et à mesure de la montée. Saint-Jean-Pied-de-Port, au fond de la vallée principale, s'éloigne lentement de notre champ de vision, tandis que quelques petits nuages moutonnent encore entre les montagnes.

Un peu au-dessus des hauteurs de Untto, Jean qui marche à mes côtés depuis plus de dix kilomètres, décide de redescendre retrouver son compagnon Michel. Déjà 10h00, et une première bande de nuages s'élève à peine de l'horizon. La journée sera radieuse. En vrais pèlerins, nous nous donnons l'accolade, espérant nous revoir à Santiago. La rencontre des trois hommes de Poitiers, réduits à deux à partir de Barcelone-sur-le-Gers, reste le plus long accompagnement sur les sentiers français. Leur gentillesse et leur amitié m'ont soutenu et aidé durant la majeure partie du parcours, mais surtout au cours des cinq derniers jours. Maintenant, je me retrouve seul sur la montagne, cheminant vers l'inconnu.

Fatigué par trois heures de montée sans discontinuité, je m'arrête au pied de la statue de la Vierge d'Orisson pour déguster quelques cacahouètes et contempler une dernière fois le versant français du pays basque. À partir de ce piton de 1064 mètres, la France se dérobe définitivement à ma vue et j'entre véritablement au cœur des montagnes des Pyrénées. Cette chaîne, loin d'offrir quelques pics uniques et majestueux, est constituée d'une multitude de sommets arrondis. Sans les balises clairement indiquées, le pèlerin, ébloui et fasciné par ces montagnes qui se ressemblent, pourrait facilement s'égarer.

En plus des flèches jaunes qui donnent l'orientation et de petites stèles qui rappellent le passage des pèlerins, d'anciennes forteresses, aujourd'hui en ruines, jonchent le chemin tout au long du parcours, rappelant à celui qui marche que de nombreux groupes guerriers s'y sont frayés un passage. L'armée de Charlemagne, immortalisée par une chanson de geste, *La Chanson de Roland*, y fut l'une des plus célèbres à emprunter ces cols très élevés. Après le départ de Jean, le très beau poème d'Alfred de Vigny, écrit au XIXe siècle par le poète, alors officier de l'armée française dans la garnison de Saint-Jean-Pied-de-Port, se met à danser dans ma mémoire.

Ce poème, *Le Cor*, appris par cœur durant ma jeunesse, demeure bien vivant en mon esprit. À mes quinze ans, pour le spectacle des Fêtes, j'avais récité ce chant épique devant tout le personnel du collège réuni dans la grande salle. La mélodie de ces alexandrins revenait sur mes lèvres avec une aisance qui m'étonnait:

J'aime le son du cor, le soir au fond des bois,
Soit qu'il chante les pleurs de la biche aux abois
Ou l'adieu du chasseur que l'écho faible accueille
Et que le vent du nord porte de feuille en feuille.

Que de fois seul, dans l'ombre, à minuit, demeuré,
J'ai souri de l'entendre et plus souvent pleuré!
Car je croyais ouïr de ces bruits prophétiques
Qui précédaient la mort des paladins antiques.

De tous les textes qui enchantaient mon esprit chevaleresque, un extrait surtout, celui qui évoquait la bravoure de Roland, le lieutenant de Charlelemagne, ne laissait nullement mon âme indifférente. Ce brave chevalier revêtu de sa cotte de maille, son bouclier d'airain et de son épée nommée Durandal éveillait en moi un souffle d'héroïsme. Je me plaisais à réciter ces vers avec toute la naïveté et la fougue de mes quinze ans:

Tous les preux étaient morts, mais aucun n'avait fui,
Il restait seul debout, Olivier près de lui;
L'Afrique sur le mont l'entoure et tremble encore:
«Roland, tu vas mourir, rends-toi», criait le More.

«Tous tes pairs sont couchés dans les eaux des torrents.»
Il rugit comme un tigre et dit: «Si je me rends,
Africain, ce sera lorsque les Pyrénées
Sur l'onde avec leurs corps rouleront entraînées...»

L'évocation de Roland, le vaillant chevalier qui a sacrifié sa vie pour sauver l'armée de son roi demeure très présente sur tout le sentier entre Saint-Jean-Pied-de-Port et Roncevaux, qu'il s'agisse de la Croix Thibault, autre lieutenant de Charlemagne, de la fontaine de Roland aménagée en 1987 par l'UNESCO, ou du col de Lepœder où les Navarrais tendirent leur embuscade au comte Roland. En montant vers cet endroit, le point culminant du sentier, mon âme aventurière s'émeut encore en pensant à tous ceux qui ont franchi ce col dans des circonstances parfois difficiles. Pour des groupes de guerriers, la hauteur des sommets conjuguée avec la profondeur des vallées offre de pernicieux coupe-gorge. Remontant du fond des âges, des milliers et des milliers de pas se mêlent aux miens: les pas des armées romaines de l'empereur Vespasien, les pas de ces pèlerins venus de tous les coins de l'Europe et qui cheminaient vers Santiago, et même les pas des grognards de l'armée de Napoléon, commandée par le général Soult, qui poussaient leurs canons dans la neige, par une nuit de février.

Ces pensées ont accaparé mon esprit si intensément que je me rends compte seulement en arrivant au plus haut sommet que mon rhume a complètement disparu. Finie la congestion! Mes poumons respirent l'air frais de la montagne sans aucune contrainte. Voilà un remède à ramener au Canada. À tous les grippés de l'hiver québécois, je rapporte une médecine infaillible: il suffit de monter les Pyrénées pour que disparaisse, en un seul jour, ce fléau lié à notre climat, le rhume!

La montée des 1460 mètres terminée, commence alors une descente plutôt raide. Contrairement à une opinion répandue, le randonneur sait que dévaler une pente sollicite beaucoup des muscles des jambes. Les risques de blessures sont nettement plus élevés en mouvements descendants. Cette partie du parcours me paraît très facile, toute congestion nasale étant disparue. Les sept cent cinquante kilomètres parcourus en France ont renforcé mes muscles, je descends vers Roncevaux d'un pas alerte. Autant j'ai dépassé des pèlerins qui cherchaient leur souffle en montant, autant j'en rencontre maintenant qui se frottent les jambes ou multiplient les massages pour atténuer la douleur, sur le versant opposé. Tous des inconnus pour le moment.

Cette pente raide tout en lacets révèle de nouveaux paysages: les collines dénudées de la montée et du sommet cèdent leur place à des rangées de sapins vert sur le flanc des montagnes et à une vaste pinède qui remplit le creux des vallées. Les arbres prennent de la vigueur au fur et à mesure que je perds de l'altitude. Bien que les abords du chemin soient dégagés sur les hauteurs, là-bas, au loin, s'étend un vaste plateau couvert d'une forêt dense.

Je marche avec allégresse, heureux d'avoir connu une si belle journée. Vers 14h00, j'aperçois pour la première fois la pointe du clocher de la chapelle de l'abbaye qui émerge de cette pinède florissante. Quelques kilomètres me séparent à peine du gîte où j'ai décidé de passer la nuit. Mon président d'association m'a parlé si souvent de ce monastère; j'ai hâte de le découvrir.

L'après-midi étant dans ses débuts, j'aurai amplement de temps pour visiter les lieux, m'installer confortablement et m'ajuster à mon séjour en Espagne. L'arrivée à Roncevaux ne manque pas de charme. Le cloître du XIIIe siècle, la collégiale et la chapelle Saint-Augustin attirent le regard de très loin et se dessinent lentement à la vue du pèlerin sur les hauteurs, lui laissant tout le loisir de contempler les bâtiments. Le sentier s'engouffre dans la pinède, le long d'un petit cours d'eau qui descend en cascade vers le plateau. Le pèlerin se retrouve alors au milieu de grands pins qui l'invitent à la paix et au silence, premiers signes avant-coureurs de l'entrée au monastère.

La magnificence et la réputation des lieux jouent un rôle important dans l'émerveillement du pèlerin qui entre à Roncevaux. Ce cloître, avec ses arcades, sa cour intérieure en ardoise, son toit de tuiles bleues, où se sont formés des milliers de moines consacrés à l'accueil des pèlerins pendant des d'années, exerce sur moi une fascination indéniable. La chapelle où venaient se recueillir et prier ceux qui sacrifiaient leur vie à leurs visiteurs, impose silence et respect. Je marche lentement à travers la place, attentif aux moindres détails, car le gîte n'ouvre ses portes qu'à 16h00.

Ma visite terminée, le charme s'envole dès que j'observe la réalité autour de moi. Une cinquantaine de cyclistes brésiliens, nouvellement arrivés, se sont massés à l'entrée du gîte bloquant tout passage. Je vais m'informer au seul hôtel disponible au cas où me viendrait l'idée de chercher une alternative. Trois autobus remplis de personnes âgées, en visite, occupent toutes les chambres. Reste donc à attendre, tout en observant les pèlerins qui arrivent péniblement les uns après les autres, certains vacillent sur leurs jambes, d'autres clopinent appuyés sur leur bâton, d'autres enfin, exténués, tordus par la douleur, s'étendent sans ménagement sur les dalles de pierre, espérant chasser rapidement la souffrance d'une étape trop longue et trop dure.

À 16h00, quand les portes s'ouvrent, j'assiste à la ruée des Brésiliens et de tous les nouveaux arrivants qui commencent ici leur pèlerinage et qui manifestent très peu d'intérêt et de compassion pour ceux qui viennent de franchir la montagne et se traînent clopin-clopant vers le bureau d'administration. Une dame à l'allure martiale, à la voix tonitruante, un vrai colonel dans l'armée du salut, nous distribue des fiches à remplir. Les formalités complétées, un adjudant, moine probablement, nous conduit par groupe de dix dans un immense dortoir, désignant à chacun le matelas qu'il doit occuper. Comme je me trouve au milieu d'un groupe de Brésiliens plutôt bruyants et agités, je demande gentiment si je ne pourrais pas rejoindre quelques Français que j'ai croisés sur la montagne. Sur le ton d'un garde-chiourme qui en avait vu d'autres, la réponse surgit en pleine figure: si je ne suis pas content, je n'ai qu'à aller voir ailleurs. La froide administration des lieux remplace l'accueil que, dans mon for intérieur, j'ai espéré. Finalement, je n'aurai pas à me plaindre des jeunes Brésiliens qui manifestent attention et respect à l'étranger que je suis.

À 19h00, je me rends à la messe du soir. Celle-ci est expédiée rapidement et suivie d'une bénédiction des pèlerins qui, à cause de sa rapidité même, ressemble davantage à un salut au drapeau qu'à une cérémonie religieuse. Bref, malgré tout le respect que je puis avoir pour ces religieux, je crois que la fatigue et l'usure ont eu raison de ces bons Pères. Une retraite bien méritée à tous ces hommes épuisés serait fort bénéfique pour les futurs pèlerins. Les personnes courageuses qui traversent les Pyrénées de peine et de misère méritent elles aussi un accueil plus chaleureux.

Un couple de Marseillais, avec qui j'ai échangé quelques propos sur la montagne, m'invitent à leur table pour le souper. À la tombée de la nuit, un vent sibérien s'élève, à la grande surprise des pèlerins habitués à la chaleur du sud de la France. Je me rends au restaurant en grelottant, craignant de rattraper le rhume qui a fui si rapidement. Dans la salle à manger, le patron regroupe les pèlerins autour de tables rondes. De la gauche vers ma droite, je salue les autres convives qui ont pris place au hasard de leur arrivée: deux jeunes femmes de l'Afrique du Sud qui ne parlent qu'en anglais, un couple du Venezuela qui s'exprime en espagnol, une dame mexicaine qui fait des efforts pour dire quelques mots en anglais, un Italien qui gesticule plus qu'il ne parle, et deux Marseillais qui ne connaissent que la langue de Molière. Bref, pour ce premier repas au milieu de pèlerins, j'avale mes tortillas de travers, car je fais de la traduction durant tout le repas. Je commence mon séjour en Espagne dans l'internationalisme très caractéristique du Chemin.

La Navarre

Hier soir, de jeunes Brésiliens ont fêté leur arrivée en Espagne assez tardivement. En dépit des consignes, un va-et-vient incessant s'est poursuivi jusqu'au début de la nuit. Vers 6h00, éveillé par les premiers bruits de ceux qui se lèvent tôt, comme personne ne bouge autour de moi, je ramasse mes effets et me dirige vers le couloir pour y faire mon sac. Chaque matin, je répète la même routine pour m'assurer que je n'oublie rien: je vide mon sac par terre et je le remplis selon un ordre très rigoureux, tel que je me le suis imposé la première journée. Cette façon d'agir me permet de vérifier mon matériel et de ne rien laisser sur place.

Ce matin, je pars avec mon linge souillé (aucune place pour faire la lessive) et sans déjeuner, puisque je n'ai trouvé aucune épicerie. À 6h30, je regagne la route, en pleine noirceur, incapable de reconnaître le sentier. Le soleil sommeille encore derrière les montagnes. Je m'arrête sous le premier lampadaire pour consulter mon guide et aussi pour mettre mes gants, la buée qui sort de ma bouche ne réussissant pas à me réchauffer les mains. Je suppose que le sentier passe par une route goudronnée jusqu'à la prochaine petite ville. Je marche sur la ligne blanche face aux voitures, peu nombreuses, en cette matinée couverte d'un épais brouillard. J'entre dans la ville de Burgete encore dans la pénombre.

L'endroit étant mal éclairé, je ne vois pas les flèches qui indiquent une bifurcation. Une station d'essence à la sortie de la ville me fournit enfin la lumière nécessaire pour consulter mon guide à nouveau. Une banque *Central Hispano* devait me servir de repère. Rien vu. Je fais marche arrière et là, au milieu de la ville, arrivent les premiers pèlerins: Jacques, un Québécois qui vit en Suisse, Peter d'Australie et une jeune dame Irlandaise. Avec un bâton, ils me montrent la balise: une flèche jaune. Je fais route avec eux et ensemble nous nous initions à la signalisation en Espagne. Peu à peu, ils me distancent et je me retrouve à nouveau seul.

Les quatre kilomètres en direction de Burgete m'ont permis de bien digérer mes tortillas de la veille; il est alors agréable de marcher sur ce petit sentier, dans une forêt de sapins verts, le ventre vide. Au moins, je me sens moins isolé: Jacques et Peter ont accéléré le pas pendant que d'autres pèlerins derrière moi se rapprochent. En entrant dans le petit village d'Espinal, j'examine les moindres rues pour savoir si je ne verrais pas un restaurant. Rien ne bouge encore. Un gentil monsieur qui sort de sa voiture confirme mes observations: les bars en Espagne n'ouvrent qu'à dix heures. Je transmets le message à mon ventre qui rechigne quelque peu et je reprends la route. Un autre quatre kilomètres, et il aura droit à un bon déjeuner.

Cette fois, le sentier joue à cache-cache avec une route secondaire: un peu de goudron, un peu de chemin de terre, et vice-versa. Pas monotone du tout pour un ventre qui pleurniche. Petits bouts après petits bouts, j'arrive à Viscarret, suivi par le couple marseillais qui fait des efforts pour me rejoindre. Ils n'ont qu'une question en tête: où trouver un restaurant? Nous n'avons pas fait dix mètres ensemble que nous apercevons la porte entrebâillée d'un bar. Même si ma montre n'indique que 9h30, mes deux compagnons de route unissent leur force pour me pousser à l'intérieur. La jeune fille me reçoit avec le sourire, nous pouvons nous y asseoir. Quel bon déjeuner nous dégustons dans ce restaurant! *El cafe con leche, las tostadas, los huevos, el jamon*, ... (le café au lait, les toasts, les œufs et le jambon...) Et en quelques minutes, les tables se remplissent autour de nous. Beaucoup de pèlerins partagent une situation semblable à la nôtre. Ce premier jeûne me sert de leçon; je prendrai soin, désormais, chaque soir, de me procurer le déjeuner, dès la douche terminée. Il ne faut plus compter sur les restaurants espagnols pour le repas du matin. De petits pains fourrés au chocolat coucheront à côté de mon lit, à chaque fin de journée.

Le ventre ainsi rassasié, je retrouve le chemin avec un enthousiasme renouvelé. La chance joue en ma faveur, puisque, dépassé Viscarret et Lintzoain, le sentier prend la clé des champs et fait de l'école buissonnière jusqu'à Larrasoaña, où m'attend un petit gîte, du moins, je l'espère. Cette fois, en guise de précautions, dès la première épicerie rencontrée, je me procure quelques pommes et deux tablettes de chocolat, format européen, pour le dîner. J'ai tout le loisir maintenant de consacrer mes énergies à marcher et à contempler le paysage. La campagne espagnole offre alors un décor bucolique. En pente légèrement descendante, le chemin se glisse entre des champs de cultures variées (blé, maïs, pommes de terre, vignes) où quelques grands hêtres clairsemés viennent jeter un peu d'ombre. Un sentier paisible où je ne rencontre personne, sinon quelques pèlerins arrêtés pour casser la croûte ou reposer des pieds endoloris. Vers midi, je croise un Japonais Maori (nom donné à ceux qui vivent dans les îles de l'Indonésie). Assis par terre, il semble attendre quelque chose. Au moment de le saluer, il me regarde fixement, puis émet quelques grognements. La langue de son pays peut-être? D'un geste timide, il indique sa bouche avec son index. Je pense qu'il a faim. Je sors une pomme que je lui présente. Comme mû par un ressort, il est debout au même instant et saisit ma pomme. Puis, reculant de deux pas, il me fait une révérence solennelle et attaque le fruit avec vigueur. Son geste de la main et son sourire en disent suffisamment long; je le salue d'un *Ultreia*, le cri de ralliement des pèlerins, et je poursuis mon chemin.

J'arrive à Larrasoaña vers 14h30, par un bel après-midi ensoleillé, après un vingt-huit kilomètres des plus agréables. Un homme à tête blanche me reçoit au gîte comme un ami de longue date. Ce jeune retraité consacre une part de ses loisirs à accueillir les pèlerins de tous les coins du monde. Avec le sourire et une gentillesse exceptionnelle, il se fait un plaisir de recevoir chacun dans l'un des quatre dortoirs bien aménagés juste au-dessus de la mairie du village. Avec ses toilettes très propres, ses installations modernes, ce modeste gîte d'une quarantaine de places ressemble à une véritable oasis. Une large cour intérieure permet de laver et de faire sécher le linge, tandis qu'une cuisinette sous un abri, dans la cour, offre ses services au pèlerin qui désire y préparer son repas.

Alors que j'écris mes notes sur une table à l'extérieur, Carolina d'Argentine, une jeune étudiante de vingt-trois ans, qui m'a entendu parler en espagnol, vient causer un brin avec moi. Sa copine Nam Ti, une jeune Chinoise du même âge, prépare le spaghetti; elle a quitté son pays la couche aux fesses, comme plusieurs enfants de sa génération et vit maintenant au Mexique. Toutes deux se sont connues, l'année dernière, à l'hospice de Sœur Teresa en Inde et ont décidé cette année de se rencontrer à nouveau sur le chemin de Saint-Jacques-de-Compostelle. Ces deux jeunes filles fort sympathiques vont croiser mes pas tout au long du parcours jusqu'à Santiago. Carolina s'intéresse beaucoup au Canada qu'elle voudrait connaître davantage. Son pays, me dit-elle, ressemble au mien par sa culture céréalière, mais les mœurs politiques semblent très différentes. Elle avoue avoir beaucoup d'admiration pour le Québec qu'elle connaît pourtant peu.

Vers 17h00, Jacques et Peter, accompagnés de la dame irlandaise, arrivent au gîte au moment où le couple de Marseillais vient de m'inviter à partager sa table, au restaurant. Nous nous retrouvons donc les six autour d'une table rectangulaire, dans le seul restaurant du village pour échanger nos impressions de la journée. Ce premier jour en Espagne restera gravé dans nos mémoires comme l'un des bons souvenirs de notre randonnée. Nous revenons au gîte peu après le coucher du soleil sous un ciel étoilé. À l'exemple de la lune qui se lève derrière une montagne, cette nuit paisible nous arrive sur un plateau d'argent.

Pendant que je fais mes étirements, au lever, parmi les brumes du matin, je salue Jacques qui vient m'accompagner pour des mouvements semblables. Pour la première fois, depuis mon départ de Puy-en-Velay, je ne suis pas seul pour faire mes exercices quotidiens. Cet homme, plus grand que la moyenne, à l'allure imposante, calme et sereine, s'est procuré un bâton de marche qui ressemble à une crosse épiscopale. Aussi, sur le sentier, plusieurs l'appellent volontiers *l'évêque saint Jacques*.

À la sortie de Larrasoaña, le sentier regagne la campagne espagnole à travers des collines couvertes de hêtres. Un moment de paix trop court. Cinq kilomètres plus loin, il rejoint la route et s'engage résolument dans les banlieues de Pampelune: Zuriain, Iroz et Zabaldica. Mon guide ne fait pas de compromis: il faut traverser la ville dans sa partie la plus longue. Le Marseillais rencontré à Eauze avait été plus explicite: *Pamplona*, une ville d'où on ne finit pas d'entrer et d'où on ne finit pas de sortir. J'accroche mon courage à mon sac et je monte sur le trottoir d'un pas ferme, résolu d'en finir le plus rapidement possible. Les indications maintiennent la ligne droite, il suffit d'avancer.

À un carrefour à l'entrée de la ville, j'hésite: je ne vois plus les flèches jaunes. Un pèlerin qui surgit derrière moi efface mon doute. Avec son bâton, il m'indique la direction. Je viens de rencontrer, sans le savoir, l'aimable compagnon qui va partager ma route jusqu'à Santiago. Pour cette première rencontre avec Roger, un Belge, nos propos sont brefs, mais efficaces. C'est le lendemain que tout va se jouer.

J'entre dans Pampelune un peu passé midi par le vieux pont de la Magdalena qui enjambe la rivière Arga. Je me retrouve au milieu d'un groupe qui se rend à la cathédrale. Je n'ai qu'à suivre. Le sentier longe d'abord les remparts, traverse quelques porches et accède à la vieille ville par de larges escaliers. Le pèlerin avance, à travers des ruelles étroites et sombres, comme dans un labyrinthe et bifurque sur la rue Carmen et se retrouve sur le porche de la cathédrale. Un édifice immense qui ressemble, en moins beau, aux cathédrales de Burgos et de Léon. Après une courte visite, je me dirige vers l'église San Saturnino à côté de laquelle un monastère, construit depuis sept cents ans, accueille les pèlerins. Rénové au cours des dernières années, le dortoir est situé au quatrième étage de l'édifice. J'y accède par un petit escalier en vis et j'y suis accueilli avec gentillesse par deux *hospitaleros* (responsables du gîte) qui me fournissent tous les renseignements sur les installations. Un seul règlement me paraît contraignant: il faut entrer avant 21h30, puisque les barrières métalliques ferment à cette heure précise.

Les tâches domestiques terminées, je pars à la découverte de la ville avec l'intention de revenir seulement pour la fermeture des portes. Cette grande ville, fondée soixante ans avant notre ère par le proconsul romain Pompée qui voulait surveiller de près les agissements des Basques, devint progressivement une ville importante de l'Espagne. Ravagée par les Barbares, restaurée par Thibault, le lieutenant de Charlemagne, capitale de la Navarre depuis le IXe siècle, cette cité est toujours demeurée la porte d'entrée du Chemin de Saint-Jacques. Aujourd'hui, avec son quartier ancien, sa cathédrale, ses nombreuses églises et ses monastères construits au XIIe et XIIIe siècles, et surtout son immense parc public, *La Vuelta del Castillo*, Pampelune est très agréable à parcourir. Je flâne tout l'après-midi d'un monument à un autre, émerveillé par tant de richesses historiques.

Au cours de ma promenade, je rencontre Helmut, un Allemand bien sympathique que j'ai croisé dans le pays basque français. Lui et sa femme se proposaient de se rendre à Santiago en même temps que moi. Nous avions d'ailleurs confronté nos planifications. Avec tristesse, il me confie que le médecin vient de contraindre sa femme à s'arrêter, des problèmes de genoux ne cessant de s'aggraver. La traversée des Pyrénées a porté un coup fatal à un malaise qui traînait depuis le début. Je lui souhaite un bon retour à Cologne, sa ville résidentielle, pendant qu'il m'explique vouloir essayer de recommencer seul l'an prochain. Deux autres guerriers viennent de tomber au combat.

Vers 18h00, au hasard de ma marche, une enseigne retient mon attention: un café internet. Je m'y introduis en douceur. La jeune fille me conduit vers un ordinateur disponible. Et quelle surprise de constater qu'il fonctionne! En France, j'ai essayé à quatre reprises d'envoyer un message au Canada. Peine perdue! Les appareils français, me disait-on, étaient incompatibles avec les systèmes internationaux. Quelle horreur! La France ne vit pas sur une planète différente de la nôtre. Dans un moment d'euphorie, seul devant le petit écran, j'écris tout ce qui me passe par la tête. Je suis content d'envoyer mon premier message et de constater la facilité avec laquelle je puis utiliser les appareils espagnols.

À ma sortie du café, à la recherche d'un restaurant, je crains d'avoir frappé un nœud. Aucun resto n'ouvre ses portes avant

21h00 et le gîte ferme à 21h30. Donc, je suis dans l'obligation de mettre une croix sur un bon repas pour ce soir. Je m'arrête à une petite échoppe et commande un *boccadillo*, sandwich fait d'un morceau de pain, fendu sur le côté, dans lequel le cuisinier introduit jambon et fromage. Le patron m'apporte ensuite un verre d'un certain liquide, un mélange de jus de raisin et de piquette française, ce qu'il appelle *son vin maison*. Avant d'entrer au gîte, je passe à la boulangerie pour mon déjeuner. Les petits fourrés tout frais me paraissent un vrai délice. Au moins, je vais me régaler demain matin.

Quand je m'approche de mon matelas, au deuxième étage d'un lit superposé, une petite tête rousse émerge d'un sac de couchage à côté du mien. J'essaie de m'installer sans faire de bruits, mais en vain, *la chose* se met à bouger. Deux petits yeux tout bouffis émergent d'un profond sommeil. Un peu perdue, dans les brumes d'un demi-sommeil, d'une voix encore engourdie, elle me demande l'heure. Ma réponse la laisse perplexe. Nous nous présentons. Elle s'appelle Ericka, vient de Norvège où elle termine un baccalauréat en physiothérapie. Elle enchaîne en me racontant les aventures de sa journée. Elle est arrivée au gîte, épuisée. Voyant un carton à la porte, mais ignorant tout de l'espagnol, elle n'a pas compris que l'établissement affichait complet. Elle a péniblement monté l'escalier en vis jusqu'au bureau du responsable. Heureusement, dans les marches, elle a croisé un couple qui, s'étant querellé, quittait les lieux. Elle pouvait donc occuper l'une des deux places disponibles. Après la douche, complètement vidée de toute énergie, elle s'est étendue sur son matelas pour quelques minutes et a dormi plus de deux heures. Maintenant, elle a faim et désire aller au restaurant. Je lui explique la triste situation: l'éloignement des restaurants et l'heure de fermeture. Sa figure s'attriste aussitôt; la mine déconfite, je la sens aux bords des larmes. Sa peine intense me frappe au cœur à son endroit le plus sensible. Je lui montre mes petits fourrés appétissants. Sans aucune hésitation, elle les saisit et les dévore avec une telle avidité qui me rend presque heureux de voir disparaître ainsi mon déjeuner. Non satisfaite des petits gâteaux, elle aspire avec la même allégresse une tablette de chocolat que je gardais pour les moments difficiles. Les agapes d'Ericka à peine terminées, les lumières commencent à baisser, signe avant-coureur de leur fermeture prochaine. Quand la lumière s'éteint définitivement, elle avance vers moi une main et me touche au bras, pour me remercier pour les petits fourrés ; elle me demande aussi de la réveiller dès que je me réveillerai.

Aux premiers bruissements du matin, je suis déjà éveillé. J'allume ma petite lampe de poche à la tête de mon lit. Ericka dort en travers de son matelas, sa petite tête rousse appuyée contre mon sac de couchage. Je contemple sa figure d'ange quelques secondes. Son sommeil paraît si paisible ! Son souffle régulier montre qu'elle récupère aisément des souffrances de la veille. Incapable de la tirer du sommeil, je me glisse délicatement hors de mon lit, ramasse mes effets et sors dans le couloir. Je n'ai plus jamais revu cette jeune fille.

Le sentier traverse d'un bout à l'autre le grand parc *La Vuelta del Castillo*. Je marche allègrement, le ventre creux, au milieu de la ville endormie. Quelques lampadaires diffusent une lumière blafarde. À la sortie du parc, au moment de m'engager sur un chemin goudronné qui me conduira hors de la ville, sur une petite place appelée *Fuente del Sancho*, une lumière attire mon attention. Une pâtisserie vient d'ouvrir ses portes, je suis le premier client. L'ange gardien d'Ericka a sûrement guidé mes pas. Un excellent petit déjeuner refait mes forces et me donne l'élan nécessaire pour partir avec enthousiasme vers Puente la Reina pour les vingt-quatre prochains kilomètres.

En ce 21 septembre, cette énergie m'est absolument nécessaire, car le sentier remonte à travers une chaîne de montagnes, *La Sierra del Perdon.* Loin des villages et des routes asphaltées, le chemin zigzague entre des collines et grimpe régulièrement vers une rangée d'éoliennes blanches installées au sommet des montagnes. Sur cette route cahoteuse et rocailleuse, un groupe important de jeunes cyclistes espagnols s'entraînent à vélo. Je dois constamment rester aux aguets pour céder le chemin au moindre signalement. Sans trop de misère, j'atteins les immenses éoliennes qui, perchées sur des pitons rocheux, chantent une musique céleste, dans cette immense solitude. La descente en cascades oblige à une grande concentration. Les bicyclettes ont déplacé tout ce qui peut ressembler à une roche, ce qui rend le terrain très instable. Il faut rester constamment sur le qui-vive, afin d'éviter des pirouettes qui pourraient manquer d'élégance et entraîner des blessures. Vers midi, à l'entrée du village d'Uterga, mon ventre crie de plus en plus famine. N'ayant rien à lui offrir, j'invoque l'ange gardien d'Ericka, qui ne tarde pas à se manifester. En traversant la place centrale du village, je vois des grands-mères qui se promènent avec des sacs blancs. Je suis leurs traces à rebours et je découvre une petite épicerie dont rien ne signale la présence. Je trouve là fruits et chocolat qui me permettent de refaire mon approvisionnement. Assis sur les marches de l'église du lieu, je consomme sur place mes nouveaux achats. Et c'est ainsi, sans peine, que j'atteins Puente la Reina, au début de l'après-midi.

Cette ville est un carrefour pour les pèlerins. Tous les chemins qui viennent de France ou de l'est de l'Espagne se rejoignent dans cette vieille cité médiévale. Les Pères *Reparadores* qui s'occupent de l'église *del Crucifijo* gèrent un refuge depuis des centaines d'années. Celui-ci, restauré récemment, comprend des dortoirs différents pour les hommes et les femmes. En plus d'un accueil chaleureux de la part des responsables, des installations modernes, bien adaptées pour les pèlerins, rendent le séjour très agréable. Pendant que je fais ma lessive, je croise Roger à nouveau. Nous parlons un peu de notre randonnée, et comme nous ne connaissons personne, nous décidons d'aller souper ensemble. La routine va s'établir petit à petit: même si nous marchons en solitaire toute la journée, chaque soir, avec un plaisir renouvelé, nous allons nous retrouver pour les courses, l'apéritif et le souper.

Puente la Reina s'est développée autour de la *Calle Major* (rue principale) qui débouche directement sur le célèbre pont médiéval au-dessus de l'Arga. Dans tous les livres écrits sur le Chemin de Saint-Jacques, ce vieux pont construit sous les auspices de la reine Estefania, épouse du roi de Najera au XIe siècle, est devenu pratiquement un emblème du chemin. On le retrouve fréquemment dans les albums de photos des pèlerins. À la sortie de la petite ville, le sentier suit de loin la route principale et passe par des collines et de petites vallées remplies de pommiers et de pêchers. Près du sentier, au milieu des champs, la chapelle Santa Maria de Eunate, avec son immense nid de cigognes sur son clocher, veille sur le célèbre vignoble. Après la traversée d'un beau village sur les hauteurs, Cirauqui, le pèlerin parvient sur un chemin très droit entre deux rangées de cyprès: les restes d'une ancienne voie romaine, qui conduit à un vieux pont romain, en partie détruit et utilisé seulement par les pèlerins. Le pont traverse le *Rio Salado* (la rivière salée), cours d'eau très connu des pèlerins des siècles passés, puisque ses eaux autrefois empoisonnées entraînèrent dans la mort bien des pèlerins et leurs montures. Pendant que je prends une photo, arrive derrière moi un homme aux larges épaules, surmontées d'une abondante crinière blanche, Terry, un Néo-Zélandais. Nous examinons le pont ensemble, tous deux impressionnés par la qualité de ces travaux faits deux mille ans avant nous, par des esclaves au service de Rome.

À l'entrée du village suivant, Lorca, la pluie commence à tomber avec douceur. Un phénomène qui va se répéter presque tous les jours: une petite douche à l'heure du midi pour rappeler au pèlerin sa piètre condition de marcheur et pour laver d'anciennes odeurs imprégnées dans les vêtements. Mais aujourd'hui, pour bien faire sentir sa présence, la pluie a décidé de prendre de l'intensité et de s'installer pour le reste de la journée, question de mettre le pèlerin dans le bain. Et pour comble de malheur, ce dernier bout de chemin passe à travers des vignobles où la terre jaune et glaiseuse, fraîchement retournée, adhère avec jouissance aux bottes du marcheur. En entrant dans la ville d'Estella, par gentillesse pour ceux qui vont me recevoir, je m'arrête à la fontaine pour nettoyer mes bottes. Je ne suis pas seul dans cette situation. Pour cette raison, les responsables du gîte, des gens d'expérience, ont prévu le coup: dès notre entrée, ils nous obligent à enlever nos bottes et à monter en pied de bas au troisième étage où un dortoir nous attend. Devant cet étalage grotesque de godasses crottées, tous les pèlerins font la même observation: *l'hospitalera*, la jeune fille bien sympathique qui nous accueille avec gentillesse à la réception doit avoir les muqueuses bouchées, ou bien baigne dans un arôme de sainteté qui lui permet de maintenir le sourire au milieu de nos cinquante paires de bottes qui exhalent Dieu sait quoi.

Un dortoir, sans système d'aération, au troisième étage, reçoit à bras ouverts tous les vêtements imbibés d'eau de pluie qui y entrent. Dès mon arrivée, je me propose de terminer rapidement mes tâches domestiques et d'aller respirer à l'extérieur. Je me dirige en vitesse vers les douches, suivi par la petite Chinoise, Nam Ti, qui partage sans doute la même idée. Nous arrivons en face de deux douches à aire ouverte. La jeune fille me regarde, hésitante...Oh!Oh! Je comprends. Je lui dis de rester sur place et je vais voir sa copine, Carolina à qui j'explique la situation. Sans tarder, elle ramasse sa serviette, ses vêtements propres et se dirige vers la salle de bain pour rejoindre son amie, pendant que je fais le gardien à la porte, la majorité des pèlerins étant de sexe masculin. Cette situation s'est répétée dans plusieurs autres gîtes en Espagne; ce que j'ai pu observer, c'est que la majorité des personnes manifestent beaucoup de respect dans de telles circonstances. Mais les pèlerins formant une gamme variée d'êtres humains...

La ville de Estella est née de la fusion de deux anciennes cités construites de chaque côté de la rivière Ega. Utilisant à bon escient ses falaises escarpées qui encadrent la cité, les rois de Navarre y construisirent des forteresses sur les sommets et des remparts autour des églises et des monastères. Les nombreuses ruines que l'on peut observer aujourd'hui autour et dans la ville laissent deviner son passé glorieux. Plusieurs de ces anciens châteaux, souvent délabrés, ont été construits sur les bases de très vieux monuments romains, car les premiers habitants de cette région en avaient fait une plaque tournante pour le commerce. La ville, très pittoresque, avec ses multiples escaliers, ses rues en lacets qui grimpent sur les collines, permet au marcheur qui vient de franchir un vingt-cinq kilomètres de rester en forme et d'ouvrir son appétit. Roger a déniché un magnifique petit restaurant dans une ruelle mal éclairée; là, nous avons regardé tomber la pluie en sirotant notre apéritif et en dégustant une tranche de porc accompagnée d'un velouté vin du pays.

Le lendemain, au départ, la pluie a cessé, mais un épais brouillard couvre la campagne. Le sentier serpente à travers les immenses vignobles d'Irache. Au village, à quelques cents mètres du monastère, les agriculteurs ont installé une fontaine, deux robinets en acier inoxydable à l'extérieur de leur entrepôt;

les pèlerins peuvent y boire du vin à volonté. Comme il est à peine 8h00 et que notre marche vient de commencer, je m'arrête avec Jacques et Peter; nous goûtons au vin du bout des lèvres et remplissons plutôt nos gourdes d'eau limpide, jugeant que cette boisson nous sera plus utile au cours de la journée. Nous longeons l'immense monastère Santa Maria la Real dont les portes, à cette heure matinale, demeurent encore verrouillées. Deux heures plus tard, le soleil avale définitivement les derniers restes du brouillard et le sentier débouche sur une plaine désertique: un six kilomètres où l'on ne voit ni végétation ni habitation. La petite ville, Los Arcos, que j'aperçois de loin, semble perdue dans ce désert.

J'entre dans la ville au moment où la messe du dimanche prend fin. Le gîte municipal, tenu par un couple de Hollandais qui parlent français, offre l'hospitalité la plus cordiale. Emménagé en chambres de quatre lits, l'établissement possède des installations modernes et fonctionnelles. Chacun se met à la lessive, compte tenu des vicissitudes de la veille. Je passe là un après-midi des plus reposants. Après une promenade dans cette ville fondée par une communauté juive et la visite de son fameux marché sous arcades qui a donné son nom à la ville, je regagne le gîte pour un peu de repos. Cette fin de journée ensoleillée vient mettre un baume sur bien des plaies: Jacques de Suisse souffre d'un terrible mal de dos, Peter d'Australie marche avec les pieds en sang, Miguelle, la jeune Hollandaise de dix-neuf ans nous montre ses pieds tout couverts de diachylons, tandis que Itz, l'autre Hollandais, avec ses nouvelles bottes, fait pitié à voir, tellement les ampoules couvrent ses pieds. Roger et moi, de même que Carolina et Nam Ti, avons la faveur des dieux, nous sommes les seuls à n'être pas éclopés. En soirée, un jeune Brésilien qui utilise la guitare du gîte, nous donne un magnifique concert sur des airs de son pays.

En ce 24 septembre, le brouillard est de nouveau au rendez-vous. La fraîcheur du matin pénètre sous mon manteau et stimule mes pas, tandis que cette brume tout autour de moi m'isole de toute réalité, dans un espace sidéral, en dehors du monde. De chaque côté du sentier, les vignes avec luxuriance étalent leurs fruits mûrs qui pendent nonchalamment jusque sur le sol humide. Partout la brume, le silence, seulement le bruit de mes pas sur le gravier... Marcher ainsi, loin de son pays, seul, dans un nuage qui nous enveloppe tout entier, crée une sensation bizarre : un monde mystérieux et irréel. Je chemine ainsi un bon six kilomètres, dans ma bulle, sans rencontrer absolument personne. Vers dix heures, quand le soleil commence à percer les nuages, une grande plaine se révèle lentement, laissant sur ma droite le village de Sansol. Puis, à travers la brume qui fuit, la petite ville de Torres del Rio apparaît sur les hauteurs d'une colline. Au même moment, Terry me rejoint, en sandales, les bottes accrochées à son sac : des ampoules énormes ont motivé sa décision.

Au moment où le ciel se dégage, la ville de Viana s'annonce au loin dans toute sa splendeur. Perchée sur une haute colline, dominant la plaine, cette cité médiévale servait de gardienne protectrice de la Navarre, contre les invasions ennemies. Son donjon du XIIe siècle qui s'élève dans le ciel, son église collégiale, large et massive, et ses épaisses murailles évoquent le passé militaire de cette ancienne cité, essentiellement un bastion royal dont tous les immeubles ont été aménagés à l'intérieur des murailles. Ses maisons anciennes, son château en partie démoli et ses ruelles étroites et couvertes de pavés comme au Moyen Âge font de cette bastide une véritable page d'histoire. Aujourd'hui, le donjon sert de gîte pour les pèlerins. Sa cour intérieure, de même que la promenade sur les remparts où les rois et les reines venaient contempler leurs domaines, offrent aux visiteurs une vue imprenable sur une plaine immense et sur l'importante ville de Logroño, juste en face.

Assis sur des bancs mis à notre disposition, Roger, Terry, moi-même et plusieurs autres pèlerins, nous prolongeons notre apéritif sur cette magnifique terrasse jusqu'au coucher du soleil. Mais au cours de la nuit, la situation se gâte complètement. Durant un orage épouvantable, le tonnerre tombe quatre fois sur le donjon, réduisant à zéro toutes les installations électriques du gîte et de la petite ville. Le réveil est brutal, dans ce bâtiment sans fenêtre, où règne une noirceur absolue. J'habite le matelas du bas d'un lit de trois étages, dans un coin tout à fait obscur. Au-dessus de moi, Magdalena du Chili, (20 ans) occupe le deuxième étage et Olga de Suède (30 ans), le troisième. Le premier problème: la jeune Chilienne a épuisé les piles de sa lampe de poche, tandis que la dame Suédoise a perdu l'instrument lui-même. Le deuxième problème: Magdalena parle uniquement espagnol et Olga, le suédois et l'anglais avec accent suédois. Et pauvre de moi, avec ma minuscule lampe de poche... Un bon pèlerin n'abandonne jamais ses copines de lit. Solidarité oblige. Pour que l'on puisse enfin sortir de ce pétrin, je dirige les opérations. Je passe d'abord par la salle de bain et remplis mon sac. Puis vient le tour de Magdalena, et ensuite celui de Olga. Pendant que l'une des filles disparaît dans la salle de bain avec ma *lumière*, je me tasse patiemment dans le coin pour ne pas être écrasé par ceux qui tentent désespérément de quitter les lieux. Au milieu de ce brouhaha, de ces voix inconnues qui s'interpellent dans toutes les langues, parmi ce noir absolu, il faut se toucher pour savoir à qui l'on s'adresse. Et malgré toute notre bonne volonté, sans aucun repère, nos mains ne rejoignent pas toujours la partie du corps que l'on voulait effleurer. Un véritable laboratoire de communication!

Faute de petits fourrés, j'ai acheté, la veille, un pain et un pot de confiture qui doivent servir de déjeuner. Roger, croyant que j'ai quitté le gîte, part à ma poursuite pour s'arrêter quatre kilomètres plus loin, au premier petit bar afin d'y déjeuner.

De mon côté, je joue d'abord un rôle passif pendant que les jeunes femmes préparent leur sac, me contentant de servir d'interprète au besoin. Arrivées tard en fin d'après-midi, faute de trouver de l'espace pour étendre leur linge, mes deux compagnes de lit avaient étendu leur lessive tout autour des matelas. Départager les vêtements féminins qui s'y trouvent exige un doigté que je ne possède pas. Finalement, vers les 7h30, nous quittons les lieux tous les trois ensemble. Mes colocataires, sorties à l'extérieur, devant l'évidence qu'elles ne pourront rien trouver à manger, acceptent de partager mon pain et mes confitures. Nous nous assoyons donc par terre, autour d'une grosse pierre, près de la fontaine, pour consommer mon repas. Le déjeuner terminé, nous nous levons et nous nous donnons l'accolade. L'expérience, un peu troublante au début, trouve enfin une conclusion heureuse. Les deux jeunes femmes ont retrouvé le sourire, le seul élément de communication qu'elles peuvent partager ensemble. Nous nous engageons sur le sentier l'un derrière l'autre, mais petit à petit mes ex-copines prennent du retard et quittent mon champ de vision. Sur le sentier entre Viana et Logroño, sachant les jeunes dames loin derrière, je me retourne pour prendre une dernière photo du donjon. L'expérience de ce matin va rester gravé dans ma mémoire longtemps.

La Rioja

En quittant Viana, le pèlerin entre dans une nouvelle région, la Rioja, célèbre dans le monde entier pour la qualité de ses vins. Cette vallée avec ses immenses vignobles où poussent de grands crus est arrosée par l'un des plus longs fleuves de l'Espagne, l'Ebre, qui traverse la ville de Logroño, lui apportant richesse et vitalité. Un magnifique sentier en asphalte de couleur bourgogne conduit le pèlerin jusqu'à l'imposante église de Saint-Jacques. Une statue plus grande que nature de Santiago Matamoros, au fronton de l'édifice, est connue dans tout le pays. Cette statue a donné naissance à une expression populaire de chez nous: Jacques le Matamore (traduction: Santiago=saint Jacques, mata=tuer, moros=les Mores). La légende remonte au Xe siècle. Dans la vallée de Clavijo, entre Viana et Logroño, le roi de Navarre, qui devait livrer chaque année, à titre de tribut de guerre, 100 jeunes filles vierges au Sultan de Turquie qui désirait renouveler son harem, refusa de rendre les jeunes filles et avec l'aide des chevaliers français déclara la guerre aux armées du Sultan. Les preux chevaliers, au moment d'engager la bataille, aperçurent saint Jacques, monté sur son destrier, l'épée à la main, qui leur faisait signe d'avancer. Cette victoire éclatante du roi Ramiro II sur les troupes du Sultan en 938 fut le point de départ de la *Reconquista*, la guerre pour la reconquête de l'Espagne par les armées chrétiennes. Chaque année, au moment des vendanges, la ville de Logroño célèbre l'événement par des fêtes et des bacchanales où les danses populaires et le bon vin font de curieux mélanges.

Entre la Navarre et la province de Burgos, encadrée au nord et au sud par des régions montagneuses, la Rioja constitue l'une des plus petites provinces de l'Espagne. Le climat, chaud et sec en été, est par contre froid et humide en hiver. Les parties basses de la Rioja sont favorables aux cultures maraîchères, alors que les zones moins humides sont occupées par la vigne, associée à des amandiers et des oliviers.

Cette année, la construction de nouvelles voies et l'aménagement d'un quartier résidentiel rendent difficile la sortie de Logroño. Le sentier débouche par la suite sur une splendide promenade, semblable à un parc tout en longueur qui relie la ville à un barrage électrique. Cet aménagement réalisé par la compagnie électrique qui alimente la ville permet aux citoyens de faire d'agréables ballades à pied, à vélo et même en patins à roues alignées. En cette fin d'avant-midi, je croise plusieurs marcheurs et quelques chiens qui promènent leur maître.

Roger et moi avons une préférence très nette pour les petits gîtes municipaux; c'est pourquoi nous nous arrêtons à Navarrete. Une sage décision, une jeune fille d'une délicatesse extrême nous reçoit dans un gîte tout neuf. Nous l'avons constaté par le passé, la plupart des petites municipalités en Espagne font tout pour retenir le pèlerin: elles aménagent un bon gîte, voient à ce que le pèlerin trouve sur place nourriture, pharmacie et même service d'autobus ou taxi. La personne responsable des lieux, une femme généralement, *l'hospitalera*, semble choisie avec soin et se plaît à rendre agréable le séjour des pèlerins. Cette jeune Rosalia nous a promis, au moment de l'inscription, un excellent petit déjeuner pour le lendemain. Et elle a tenu magnifiquement sa promesse.

Au cours de l'après-midi, je me retrouve seul avec John, un Britannique, marcheur solitaire, qui fait le chemin aller et retour. En l'absence de Roger, en revenant de l'épicerie avec quelques bières dans mon sac, assis sur la véranda avec ce pèlerin que je rencontre pour la première fois, je lui offre de prendre une canette de ma potion antivirale. Notre conversation quitte rapidement les terrains marécageux de la banalité pour rejoindre ceux, plus sérieux, des pèlerins. Puis, sans aucune forme d'introduction, il me raconte qu'il est divorcé depuis quelques années, et qu'au moment de sa séparation, il a posé des gestes destructeurs qu'il regrette aujourd'hui. Durant tout ce trajet, il a cherché les mots qu'il voulait dire à sa femme et à ses enfants et il n'est pas sûr encore de les avoir trouvés. Je l'écoute parler. Il s'exprime avec une telle émotion dans la voix qu'à un moment donné nous avons essuyé des larmes tous les deux. Quand d'autres pèlerins arrivent, il se lève pour aller faire des courses. Le lendemain matin, après l'excellent déjeuner de Rosalia, nous partons dans des directions opposées.

Les propos de John ont mijoté dans ma tête toute la journée. Le sentier, à travers des collines et des vallées d'une région agricole, suit de loin une route secondaire qui relie plusieurs petites villes. Je peux donc rêvasser à volonté sans me préoccuper de chercher mon chemin. Le témoignage de cet Anglais diffère peu de plusieurs autres que j'ai entendus en France. La vie de ces pères de famille dont le foyer s'est brisé en mille miettes, les morceaux répandus au diable vauvert, crée en moi de la tristesse. Malgré toute la sympathie que j'éprouve pour eux, je comprends mal que ces hommes en soient venus à détruire ce qu'ils ont d'abord essayé de construire. Certaines situations de la vie resteront toujours un mystère pour moi.

Peu de temps avant d'arriver à Najera, Terry le Néo-Zélandais me rejoint. Dès les premières phrases, je devine qu'il a le goût de parler. Nous faisons quelques kilomètres ensemble. Au cœur de la vieille ville, nous nous arrêtons dans la petite chapelle du couvent des Carmélites. Les cloches sonnent l'angélus, alors qu'à l'intérieur, un groupe de religieuses chantent des cantiques religieux. Nous écoutons pendant une vingtaine de minutes ces voix harmonieuses qui apportent une paix qu'il fait bon partager. La sérénité, par ce midi tranquille, voyage dans ce lieu saint, en toute liberté. Dès que les religieuses se lèvent pour retourner à l'intérieur du monastère, nous remettons nos sacs sur nos épaules.

La ville de Najera doit sa réputation à deux falaises abruptes qui encadrent la cité. La légende affirme que Roland, dans sa lutte pour tuer le géant Ferragut, aurait atteint son ennemi avec une énorme pierre qui aurait, du même coup, fendu en deux la falaise sur laquelle il avait construit son château. Sur les sommets, on aperçoit encore aujourd'hui des ruines d'anciennes forteresses. Les rois de Navarre avaient utilisé ces places fortifiées pour améliorer leurs lignes de défense. Ces vestiges n'ont donc rien à voir avec Roland.

À la sortie de la ville, le sentier s'engage dans une rude montée, à travers une belle pinède, pour franchir l'une des collines. Le sommet, dénudé, offre une vue magnifique sur la plaine fertile qui s'ouvre devant nous. En cet après-midi ensoleillé, marcher ainsi entre les vignes et les oliveraies apporte un bonheur que les mots peuvent difficilement traduire.

Fidèles à nos habitudes, nous nous arrêtons quelques kilomètres après Najera, à Azofra, un village qui dispose d'un gîte de seize places, juste derrière l'église paroissiale. L'établissement, qui manque de ressources, offre le minimum de confort. Une douche froide de temps en temps stimule le système sanguin du pèlerin. Faute de trouver un restaurant intéressant, nous décidons de préparer un repas de partage avec ce que peut nous offrir la modeste épicerie. Ce que nous perdons en qualité de séjour, nous le gagnons lors de nos conversations. Le petit groupe d'une dizaine de personnes que nous formons se connaît maintenant très bien, nous passons là une soirée mémorable. Avant d'entrer pour le coucher, Terry me demande de faire quelques pas avec lui. Il me raconte que, ce midi, dans la petite chapelle des Carmélites, pour la première fois, il a pardonné à ceux qui ont blessé son fils et que ce soir il va se coucher avec une paix retrouvée. Trois semaines plus tard, à Santiago, je rencontrerai le fils en question, une énorme balafre couvre tout le côté droit de sa figure. Je n'ai jamais su les circonstances des événements, un pèlerin ne pose jamais de questions, mais Terry m'a déjà dit qu'il avait vendu tous ses biens en Nouvelle-Zélande, qu'il n'y remettrait jamais les pieds, et qu'il vit maintenant à Londres avec son fils et sa belle-fille.

Le lendemain matin, 27 septembre, nous partons tous ensemble mais le groupe s'effrite rapidement de telle sorte que je me retrouve seul après deux ou trois kilomètres. Le sentier poursuit à travers des vignes et de grands champs de céréales, me laissant tout le temps pour me remémorer les propos de Terry. J'avais trouvé cet homme plutôt taciturne, au début, mais plus nous avançons, plus il s'intéresse aux autres, plus il se rapproche de nous tous, même s'il ne peut communiquer qu'en anglais. Aujourd'hui, je me sens très près de lui. Sa belle tête blanche de philosophe envoûte à chaque rencontre mon esprit. Deux autres personnes également me fascinent sur le sentier, même si je leur adresse peu la parole: Fitzgerald, un évêque presbytérien de San Francisco (77 ans) qui marche avec sa fille, Rosemary (40 ans), une personne dont le surplus de poids étonne sur les sentiers. Cet homme grand et svelte, malgré son haut rang dans la hiérarchie ecclésiastique, marche au milieu de nous, toujours en compagnie de sa fille, comme le plus humble des pèlerins. Posé, discret, il choisit souvent le haut de mon lit pour dormir; le fait qu'il se lève la nuit ne me dérange aucunement. De son côté, la femme possède un humour exceptionnel: elle m'avait dit, au moment d'entrer à Pampelune, qu'elle transportait au moins cinq sacs. Je ne les ai jamais comptés, mais dans les gîtes, la promiscuité aidant, il est bien difficile de ne pas imaginer qu'elle dit vrai. À ces deux personnes que j'ai souvent croisées sur le sentier, je n'hésiterai à dire mon admiration sans limite, dans la cathédrale de Santiago, en les serrant bien fort dans mes bras. Je ne les ai jamais vu tricher: prendre l'autobus ou faire transporter leur sac, malgré le fait que j'ai déjà entendu Rosemary raconter à une autre dame les blessures résultant de son embonpoint.

Au milieu de l'avant-midi, le sentier traverse la très belle ville de Santo Domingo de la Calzada. Je m'y arrête longuement, mais je ne tiens pas à y rester pour le coucher, malgré tout le bien que l'on m'a rapporté de ce gîte. De plus, l'histoire du coq qui chante dans l'église ne m'impressionne pas beaucoup. Selon la légende, un jeune pèlerin, voyageant en famille, avait été injustement pendu pour vol par la faute d'une servante jalouse: éconduite, elle avait caché dans son bagage de la vaisselle d'argent. À leur retour de Compostelle, ses parents l'entendirent leur dire du haut du gibet qu'il vivait, car saint Jacques le protégeait. Le juge auquel ils s'adressèrent, et qui était en train de manger de la volaille rôtie, leur répondit avec ironie que leur fils était aussi vivant que ce coq qu'il mangeait. Aussitôt, le coq dans son assiette se mit à chanter. Le juge bouleversé fit dépendre le jeune homme et pendre à sa place la fautive. Depuis ce jour, une poule et un coq bien vivants rappellent ce miracle. Ils égayent les paroissiens de leur poulailler, dans un des transepts de l'église.

La ville qui profite de la richesse des vignobles voisins mérite une visite prolongée à travers des rues bien aménagées, propres, qui respirent l'aisance des citoyens. La vieille ville autour de la très belle cathédrale se laisse découvrir avec plaisir. J'ai toujours aimé flâner dans ces ruelles étroites, marcher sous les arcades des vieilles demeures, m'asseoir devant l'ancienne place du marché, au cœur d'une cité, et simplement regarder les gens déambuler, une bière à siroter devant moi.

Vers midi, je reprends la route, désireux de me rendre à Grañon. Mon guide indique que la municipalité ne possède aucun gîte; pourtant, avant de partir du Québec, un pèlerin anonyme m'a laissé un message dans mon courrier électronique, me conseillant de m'y arrêter, l'endroit valait le détour. En sortant de Santo Domingo de la Calzada, curieux de constater les faits par moi-même, je cherche sans succès la bifurcation vers Corporales, un village perdu en pleine campagne, à mi-chemin entre les deux villes. J'emprunte donc l'autre chemin, celui qui suit de près la route secondaire. Un cinq kilomètres sous la chaleur du midi.

Grañon, situé sur une colline au milieu de la plaine, se laisse désirer longtemps. Seul le clocher imposant de l'église paroissiale s'élève au-dessus d'un ensemble de maisons de deux étages. Encerclée de champs fertiles, la ville ne s'étire pas au hasard. Au contraire, bien regroupés autour de son église, les divers bâtiments font corps avec elle et créent une impression d'unité qui rend le village d'emblée sympathique. Je suis accueilli sur les lieux par un homme retraité qui consacre une partie de ses loisirs à recevoir les pèlerins. Aménagé dans un bâtiment rattaché à l'église, ce qui pourrait être un ancien monastère, ce gîte peut accueillir une vingtaine de personnes. Un couple du Guatemala réside aussi sur place et joue le rôle d'*hospitaleros*, c'est-à-dire qu'il prépare les repas et fait de l'animation dans le gîte.

Après avoir partagé l'apéritif avec Gabriela, une Allemande qui marche avec nous depuis quelques jours, et une jeune

Italienne, Giulia, nouvellement arrivée sur le chemin, nous nous mettons à table pour déguster une assiette guatémaltèque apprêtée avec goût. La table desservie, l'animatrice sort sa guitare et nous invite à chanter des airs de nos pays respectifs. C'est ainsi que ce soir-là, accompagnée à la guitare par Mariluz, je chante les souvenirs nostalgiques de Louis-Joseph Papineau, *Un Canadien errant*. La jeune dame avait entendu Nana Mouskouri chanter cette mélodie et avait adoré cette balade. Je lui promets de lui envoyer le texte intégral de la chanson, dès mon retour au Québec. Gerry, un jeune Américain de l'état de New – York, près de Cornwall, met un terme à la soirée en jouant deux belles pièces de guitare classique.

Le lendemain, nous quittons Grañon et la Rioja pour la Castille, sous une pluie battante.

La Castille

De la Rioja à la Castille, le passage d'une province à une autre n'apporte pas un changement tangible dans le paysage. En ce 28 septembre, sous la pluie, le sentier suit de près la Nationale 120. Rien de vraiment intéressant. La traversée des villages, Redecilla del Campo, Castildelgado et Viloria de Rioja, n'interrompt en rien la monotonie du chemin. Roger et moi avons d'abord songé à nous arrêter dans la seule ville de la journée, Belorado, mais midi n'a pas encore sonné, au moment où nous y entrons. Après un bon café et quelques madeleines, poursuivre la route nous apparaît la meilleure solution, même si Terry et Gabriela préfèrent rester sur place, leurs pieds blessés refusant d'avancer. Nous nous donnons l'accolade, puisque cette séparation pourrait être définitive.

À la sortie de la ville, la pluie a cessé, mais le ciel menace à tout instant d'éclater à nouveau. Le sentier reprend le long de la Nationale et croise plusieurs petites routes de campagne qui relient une dizaine de villages rapprochés. Nous arrivons à la dernière agglomération, Villafranca-Montes de Oca, vers 16h00; le chemin continue à travers une région désertique, sans aucune habitation. Ces trente-deux kilomètres parcourus au cours de la journée nous paraissent suffisants pour mériter un repos. Le lieu ne nous séduit vraiment pas, mais le ventre et les jambes crient

Stop. La modernité semble avoir ignoré ce village perdu dans une région peu fertile. Le gîte non plus ne paye pas de mine. Dès notre entrée, nos narines flairent une odeur rance à laquelle viennent s'ajouter, plus certaines encore, des exhalaisons de sueurs et d'urine. Les paillasses étendues par terre, affaissées depuis longtemps, ne soulèvent en rien notre enthousiasme. Regroupant nos forces encore vives, nous faisons volte-face pour revenir vers un hôtel sans apparence situé à l'entrée du village. Le patron nous offre une chambre à deux lits pour la modique somme de vingt dollars. Comment refuser ! Nous pouvons y prendre également le souper et le déjeuner du lendemain. Après la douche, nous descendons au bar pour notre potion quotidienne antivirale juste au moment où Gabriela et Terry font leur entrée, mouillés jusqu'aux os, car la pluie a repris avec intensité. Une heure plus tard, la jeune Karina d'Argentine, de même que deux Bretons, se joignent à nous ; la soirée se passe dans la joie des retrouvailles.

Après la longue journée d'hier, celle d'aujourd'hui s'annonce comme un repos : un vingt kilomètres à travers une sapinière peu dense. La montée d'une gentille montagne à 1 100 mètres d'altitude nous permettra de jeter un coup d'œil admiratif sur la région. Suivra ensuite une randonnée paisible sur un plateau vers San Juan de Ortega. Rien pour effrayer un vieux routier. Le temps couvert maintient une agréable fraîcheur tandis qu'un silence reposant règne sur la forêt, habitée seulement par quelques oiseaux noirs en quête d'un refuge.

San Juan de Ortega, du haut de son plateau boisé, domine les vallées qui l'entourent et séduit par la splendeur du paysage : un monastère, une église et quelques habitations au milieu d'une clairière, dans une forêt de sapins. L'église, classée monument national, porte le nom de son constructeur, Juan de Ortega, moine architecte à qui l'on doit plusieurs constructions d'églises ou de monastères sur le chemin. Dans la chapelle rénovée du monastère, le pèlerin peut admirer plusieurs scènes de la vie du saint, taillées dans la pierre. Ce bâtisseur était un compatriote d'un autre héros national, Vivar del Cid, valeureux guerrier, général des armées espagnoles, qui a donné de nombreuses victoires à la *Reconquista*, surtout celle qui a permis de libérer la ville de Valence en 1094.

Au printemps dernier, des amis m'ont conseillé de faire un arrêt à La Hutte, le gîte privé d'Atapuerca, aménagé par des amis du Chemin. À notre arrivée, vers 13h00, la porte sans verrou laisse libre accès aux pèlerins. Après nous être installés et avoir accompli les tâches habituelles, nous nous rendons au seul restaurant du coin. Le patron, ami des pèlerins et excellent cuisinier, nous prépare une assiette de son cru à laquelle il faut revenir. Après l'apéritif, le mot a circulé parmi les pèlerins, presque toutes les personnes du gîte viennent lui rendre visite. Installés sur une grande table en forme de *L*, nous connaissons un autre excellent souper. Pour l'occasion, je me retrouve par hasard à l'une des extrémités avec Karina d'Argentine. Contrairement à une coutume qui veut que l'on ne parle pas de politique, mais seulement du chemin, ce soir-là, la jeune étudiante nous brosse un tableau très sombre de la situation dans son pays, comme si elle anticipait les troubles qui vont surgir sur sa terre natale, à son retour.

Le lendemain, 30 septembre, une épreuve de taille nous attend: la traversée à pied de la ville de Burgos. Il faut d'abord plus de deux heures pour se rendre à l'entrée de la ville. Heureusement, le temps beau et frais facilite cette descente vers la vallée où la grande cité a fait son nid. Arrivés sur place, nous sommes partagés quant à la manière d'atteindre le centre-ville: Roger aimerait prendre l'autobus alors que j'espère pouvoir tenir ma promesse faite à Felice. Dame Chance me favorise. En ce dimanche matin, aucun autobus ne se rend dans la section des usines, ce qui nous oblige à parcourir à pied les neuf kilomètres nécessaires pour rejoindre la cathédrale. Un exercice plutôt rude pour mes genoux qui vont ressentir de la douleur durant les jours qui vont suivre. Quelle monotonie! S'arrêter à chaque rue, regarder, attendre les feux de circulation, et traverser avec diligence, car les conducteurs espagnols manquent parfois de patience. Heureusement, dès l'entrée dans la vieille ville, le nombre et la quantité des monuments et des édifices grandioses ne cessent d'attirer notre attention et de retenir notre regard.

La cathédrale Santa Maria de Burgos, le point central de notre visite, m'apparaît l'une des plus belles d'Europe. Le pèlerin reste ébahi devant cette floraison de pierres au milieu de places publiques monumentales, devant l'immensité de l'édifice dont les multiples clochers pointent leurs cimes altières vers le ciel. Et comment ne pas s'émerveiller à l'intérieur dans ce labyrinthe devant les deux nefs, le déambulatoire, le cloître, les deux sacristies, la salle capitulaire, les dix-sept chapelles, le tout d'une richesse sans pareille!

En ce dimanche midi, une foule de visiteurs flânent autour du célèbre édifice. Notre visite terminée, nous fuyons rapidement vers des lieux plus silencieux pour combler quelques petits creux avant de reprendre la sentier. La sortie de la ville exige une autre heure de marche à travers un long parc sur les bords de la rivière Arlanzon. Après la traversée des banlieues, les bruits de la ville s'estompent progressivement et nous connaissons alors quatre kilomètres de sérénité avant d'entrer dans le village de Tardajos où une ancienne école primaire partage ses locaux entre le gîte et un dispensaire.

À notre arrivée, un court message de l'*hospitalera* confirme que l'édifice est verrouillé, mais qu'il est possible de se procurer la clé en allant à sa rencontre sur la place du marché. Pour maintenir la forme, nous passons d'abord au seul bar du village. Non seulement l'établissement est rempli de tous les hommes du village, un coup d'œil sur le plancher nous permet de constater qu'ils y sont depuis longtemps. Selon la coutume espagnole, tout ce qui doit normalement aller à la poubelle doit d'abord faire un séjour sur le plancher. Les Espagnols lancent tout par terre: paquets de cigarettes, mégots, noyaux d'olive, enveloppes de cacahouètes, etc., etc. Une heure après l'ouverture d'un bar, il faut lever les pieds quand on y entre. De plus, l'appareil de télévision hurle à tue-tête; pour que le patron comprenne ce que les clients demandent, les gens ne parlent pas, ils crient leur commande. Dans de telles circonstances, pour se faire servir, il ne faut pas craindre de jouer du coude, de s'y reprendre à maintes reprises en s'égosillant chaque fois davantage. Le plus gros, le plus fort a toujours priorité. Comme Roger connaît bien les habitudes européennes, dans les situations corsées, je lui laisse toute initiative, moi, je suis trop gentil, je ne réussis pas à obtenir ce que je désire. Une fois servis, nous prenons nos bières, à l'extérieur, assis contre le mur de l'établissement.

Sur la place du marché, la fête bat son plein. Dès les premiers pas, peu attirés par ces activités, nous décidons de battre en retraire. Mais nous n'avons pas le temps de faire demi-tour; quelques femmes qui dansent entre elles, voyant arriver deux hommes, des étrangers sans doute, nos sacs nous trahissent, nous encerclent littéralement et nous enlèvent, sans nous molester, pour nous conduire à une table. Et là, devant nous, malgré nos protestations, des tortillas affluent de tous côtés et une quantité de verres de plastique surgissent de dizaine de mains, remplis des meilleures boissons du pays. Installées autour de nous, ces paysannes, jeunes et vieilles, veulent tout savoir: d'où venons-nous?, où allons-nous?, avons-nous des enfants? etc., etc. Bref, pendant que certaines nous forcent à boire et à manger, d'autres nous obligent à nous arrêter pour répondre à leurs questions. Je ne pourrais pas dire combien de temps dure la torture. Mes seuls souvenirs concernent le retour au gîte: même si le village est grand comme ma main, il a fallu du temps pour trouver la porte d'entrée. Ce soir, nous n'avons aucune envie de chercher à souper.

Vers 19h00, alors que nous nous croyons seuls dans le gîte, pour le reste de la nuit, avec Javier, un Espagnol de la région qui nous accompagne depuis quelques jours, arrivent des Allemands en minibus. Au début, *l'hospiralera* ne veut pas les admettre, mais ils négocient si bien qu'ils se mettent à décharger leurs effets. Le groupe paraît un peu bizarre et il faut peu de temps pour se rendre compte que ces gens remplacent le festival de la tortilla par un festival de la prière. Deux heures après leur arrivée, au moment où nous commençons à ronfler, ils entonnent leurs chants et leurs prières, dans la pièce à côté. Une petite heure qui retarde notre voyage au pays des rêves. Comme tout bon pèlerin, nous sommes prêts à leur pardonner cette incartade, à la condition qu'ils ne récidivent pas. À 2h00 du matin, les activités du festival reprennent. Javier, impatient, se lève et va leur dire de mettre une sourdine à leurs invocations célestes qui empêchent les pauvres terriens de dormir. Quand nous nous levons vers 7h00, fatigués autant par nos difficultés de digestion que par la musique des deux festivals, les festivaliers de l'oraison ont déjà quitté les lieux, pour se rendre à l'église du village terminer leurs activités. Pour déjeuner, nous dégustons un reste de tortilla aux fruits que l'*hospitalera* nous a gentiment laissé.

En ce 1er jour d'octobre, étant donné que le soleil se lève à l'est et que la pointe de péninsule ibérique se trouve dans la partie la plus à l'ouest de l'Europe, il fait encore noir au moment où nous quittons les lieux. La place centrale du village est jonchée des restes de la *Feria de la Tortilla*, tandis que de l'église paroissiale montent vers le Seigneur des chants religieux susceptibles d'attirer les faveurs de la Cour céleste. Les lamentations de ces fervents catholiques ont sûrement porté leurs fruits, parce que nous ne les avons jamais revus sur le chemin.

Ces départs en pleine nuit apportent quelque chose de reposant et de mystérieux à la fois et ces kilomètres entre chiens et loups, chaque fois, m'impressionnent. Les premières lueurs du jour qui apparaissent dans le ciel, les couleurs de l'aube qui éclairent le sommet des collines, et ces jeux d'ombres et de lumières qui s'amusent dans la cime des grands arbres et furètent dans les vallées sinueuses, tout donne à ces matins d'automne une beauté, une tendresse que mon âme ne saura oublier. Volontiers, je ferais le chemin à nouveau simplement pour revivre ces débuts de randonnée.

Une journée de grand calme succède à la traversée mouvementée de Burgos. Pour les vingt prochains kilomètres à travers la *meseta*, sur ce plateau stérile brûlé par les vents et le soleil, un seul village permet de faire un arrêt, *Hornillos del Camino*, (Fours du chemin). Ce village, typique de la région, une série de maisons de terre d'un seul étage le long de l'unique rue, ressemble à certaines agglomérations des plaines désertiques du Mexique. En juillet et en août, une chaleur torride empêche toute culture. Lors de notre passage, les cultivateurs préparent les champs pour la culture de l'hiver, seul moment où il est possible d'y faire pousser du blé. Pendant que je marche au milieu de la plaine désertique, seul, sans pèlerin visible devant moi, absorbé par mes rêveries habituelles, j'entends d'abord comme une musique, un chant. Je m'arrête et tends l'oreille. Quelqu'un chante. Loin derrière moi, un homme avance d'un bon pas, le bâton à la main, et les éclats de sa voix gambadent à travers champs dans la plaine silencieuse. Je dépose mon sac pour l'attendre. Ces airs ne me sont pas étrangers... C'est seulement à son approche que je reconnais la Traviata de Verdi. Enrico, cet Italien du Nord, à la poitrine large et à la voix puissante, chante à pleins poumons les mélodies de son pays. Durant quelques jours, je croise à plusieurs reprises cet homme charmant et d'agréable compagnie, jusqu'à ce que des problèmes de pied l'obligent à mettre fin à son pèlerinage.

J'aime entendre ses propos qui coulent comme le miel, ses paroles comme ses gestes, toujours accompagnés de musique, aux couleurs de la Toscane. Il a retenu que je me suis adressé à lui une première fois, en italien. Même si je connais peu cette langue, son mouvement, ses sonorités me plaisent grandement. Enrico ne manque jamais une occasion de m'adresser la parole avec des mots remplis de fleurs et à me faire goûter pleinement la beauté de son parler italien. Je me suis senti triste en apprenant qu'il allait nous quitter à *Carrion de los Condes*, un médecin l'empêchant de poursuivre.

Le village de Hontanas (les fontaines) fait figure d'oasis dans le désert de la *meseta*. Depuis les temps anciens, cette agglomération construite au flanc d'une colline, avec ses étroits pâturages et ses cèdres nains, sert d'abri aux marcheurs épuisés qui viennent de traverser la plaine abreuvée de soleil. Sur une courte distance, plusieurs ruines nous rappellent que nous suivons le chemin traditionnel: l'église romane de Hontanas, *El Molino de Cubo* (le moulin où était moulue la farine), *la Fuente de San Miguel* (la fontaine de saint Michel), mais surtout le couvent de San Anton, un monastère des moines soldats qui veillaient à l'entretien et à la protection des pèlerins. Ses ruines passées, le sentier emprunte une route goudronnée, surélevée, à travers deux rangées de cyprès: l'ancienne voie romaine qui conduisait à Astorga. Pour le pèlerin qui s'avance sur cette route splendide vers l'ancienne cité romaine, l'entrée dans Castrojeriz est majestueuse: devant nous, sur un très haut piton rocheux, reposent les ruines de l'ancien château fort du roi des Goths,

Sigeric, à droite, en flanc de montagne, le monastère et l'église Nuestra Señora del Manzano, et finalement la ville de Castrojeriz, construite du côté gauche, sur les ruines d'une cité romaine.

Cette ancienne ville-rue, construite le long du chemin qui contourne la montagne à mi-pente, est remplie de souvenirs de tout son passé historique. D'abord village des premiers habitants de la péninsule ibérique, puis ville romaine fortifiée protectrice de la voie romaine vers Astorga, capitale des Goths sous Sigeric, et capitale de la Castille sous le roi Alphonse X, cette ville n'en finit plus d'émerveiller le pèlerin qui la parcourt un feuillet d'histoire à la main. Un très beau gîte, une construction récente, occupe le deuxième étage d'un centre culturel, dans la partie la plus haute de la ville.

En cette fin d'après-midi, je rencontre Sébastien, un jeune Québécois qui poursuit ses études à Paris. Handicapé par une mauvaise blessure aux genoux, il a dû s'arrêter plusieurs jours à cet endroit. La poursuite de son pèlerinage demeure incertaine. Un aumônier de prisons de Bruxelles qui a fait le chemin, au début des années 90, en compagnie de deux prisonniers en quête d'une libération, s'est arrêté lui aussi pour les mêmes raisons. Décidément, le chemin fait bien des victimes.

Pendant que nous sirotons notre apéritif sur la terrasse du gîte qui s'ouvre sur la ville à nos pieds, nos regards se portent souvent vers une vingtaine de vautours qui ne cessent de tourner au-dessus de nos têtes, à la recherche de nourriture. Ces oiseaux de proie ont fait leurs nids dans les ruines de cet ancien château, tellement la falaise est escarpée et les chemins pour y monter, inaccessibles. Avant de partir pour le restaurant, nous causons longuement avec Ludwig, un Allemand qui marche avec nous depuis quelques jours. Cet homme à la forte carrure, avec sa moustache prussienne, son chapeau de cuir et sa canne qu'il balance en deux mouvements, un petit et un grand, représente à mes yeux un mélange harmonieux de Sherlock Holmes, de Cyrano de Bergerac et de Tartarin de Tarascon. D'un gîte à l'autre, cet homme du Rhin change peu ses habitudes: il entame son apéritif par quelques petites bières inoffensives, qu'il fait suivre d'un repas frugal, fait essentiellement d'un peu de pain, de fromage et de jambon. Quand il a terminé de consommer le tout, il ouvre une bonne bouteille de rouge qu'il sirote en philosophant sur le Bien et le Mal, également répartis à travers la planète. Vers 20h30, étendu sur son matelas, il est toujours le premier à ouvrir le concert. Certains disent que c'est du Beethoven, d'autres les Walkyries de Richard Wagner; quant à moi, j'opterai plutôt pour du Volkswagen au diesel, avec tuyau d'échappement défectueux. Bref, Ludwig retient notre attention, chaque soir, et ce n'est pas pour la prière du soir en famille.

Ce matin, au moment de quitter le gîte, je jette un coup d'œil sur mon guide. Rien de rassurant: le sentier va par monts et par vaux. Dès le départ, le chemin descend au fond d'une profonde vallée, traverse l'étroite plaine de l'Odrilla et après un pont médiéval commence l'ascension d'une petite chaîne de montagnes, *Los Mostelares*. La montagne derrière nous cachant le soleil levant, nous marchons pendant plus d'une heure complètement dans l'ombre. Seule la partie supérieure de l'autre montagne, devant nous, sans végétation et de couleur ocre, guide nos pas. Elle est irradiée par cette lumière crue du matin, dont le pourtour se dessine très nettement sur le fond noir du ciel, un ciel précurseur d'une averse prochaine. Le sentier grimpe par paliers jusqu'au sommet et nous conduit sur un haut plateau d'un kilomètre de largeur à peine, avant d'entreprendre une descente abrupte vers la rivière Pisuerga, limite des provinces de Burgos et de Palencia. La traversée d'une large rivière marécageuse sur un très long pont romain de onze arches, près de *Itero del Castillo*, va nous permettre d'entrer dans la province de Palencia.

Palencia

Cette nouvelle province dont la création demeure sans fondement historique, mais qui doit plutôt son existence à des raisons administratives, occupe un espace dévolu autrefois aux provinces de Burgos et de Léon. Pour cette raison, il ne convient pas de s'attarder à la décrire. Cependant, pour le pèlerin, qui arrive au sommet du plateau et qui contemple la plaine devant lui, ce que les Espagnols appellent *La Tierra del Campo* (La terre de la campagne), cette vallée fertile qui s'ouvre devant lui est bien différente de celles qu'il vient de quitter. Aux plateaux arides et dépouillés de toute végétation succèdent d'immenses champs de blé qui ondulent tout doucement sous la poussée d'un léger vent du sud. Les canaux de Pisuerga et de Castille, faits de mains d'hommes, servent à la fois à l'arrosage de la plaine et aux transports des céréales, ce qui prouve que les cultivateurs ont contribué largement à l'essor agricole de leur région.

Après la descente dans la vallée, l'ascension de la montagne et la pluie balayée par le vent sur le plateau, je me contente d'un vingt kilomètres et m'arrête au premier village rencontré, Boadilla del Camino. Cette agglomération de maisons, construites sur un ancien domaine de l'époque romaine, a aussi abrité une colonie du peuple Goth. Une stèle au milieu de la place centrale témoigne de leur passage, tandis que de nombreuses pierres gravées en latin de même que le système de chauffage des maisons qui se fait par des canalisations d'air qu'alimente un foyer sont des signes évidents de la civilisation romaine. Dans la cour intérieure du gîte privé où nous logeons, plusieurs de ces pierres servent de sièges aux pèlerins fatigués.

Comme à l'habitude, Roger et moi sommes les premiers à ouvrir les portes du gîte, suivis de près, par Gabriela et Terry, Miguelle et Itz, les jeunes Hollandais, et finalement Carolina d'Argentine et sa copine Nam Ti. Vers 16h00, grâce au retour du soleil, nous pouvons étendre notre linge et prendre l'apéritif. Une famille dont chacun des membres contribue au bien de tous possède ce gîte. Le jeune homme est venu nous rencontrer sur le chemin pour nous inviter à faire un détour vers leur gîte. La jeune fille sert les clients au restaurant, pendant que ses parents s'affairent soit à l'entretien du gîte, soit à la préparation du repas.

En attendant le souper qui doit se prendre sur place, le village ne disposant d'aucun restaurant, nous passons en revue les pieds les plus endommagés. Miguelle maintient toujours les siens enveloppés de diachylons de toutes sortes, tandis que Itz ne réussit pas à arrêter le sang de couler. Encore aujourd'hui, les plaies vives causées par ses nouvelles bottes ont ensanglanté complètement ses bas. Terry a trouvé une solution: il marche nu-pieds dans ses sandales. Gabriela n'éprouve des difficultés qu'avec ses talons. Quant à Roger et moi, nos pieds tiennent le coup, vierges de toute blessure.

Nous terminons la revue au moment où un intrus se présente. Un Hongrois, bedonnant, édenté, illettré, puant l'alcool, débouche de nulle part, se dit pèlerin de Saint-Jacques, homme de Dieu. Les propriétaires tentent d'abord de l'évincer. Mais l'homme à la carrure imposante invoque constamment une kyrielle de saints de voler à son secours. Finalement, à bout d'arguments, les tenanciers du gîte cèdent contre leur volonté et l'homme, à la barbe hirsute et au regard fuyant, s'incruste parmi nous. Assis dans son coin, isolé du groupe, il boit son vin en se racontant des histoires. À l'heure du souper, il disparaît momentanément, laissant à chacun le temps de partager l'excellent repas. Nous invitons à notre table une jeune dame espagnole qui marche seule sur le chemin. Nous sommes heureux de rencontrer quelqu'un du pays qui nous apportera sans doute une meilleure connaissance de la région. Notre bonheur s'envole en fumée quand, malgré nous, un autre pèlerin s'invite à notre table, un homme atteint d'une maladie pour laquelle existent très peu de médicaments: la parlotte. Cet individu, obsédé par un besoin maladif d'ouvrir la bouche et de faire du bruit, incapable de voir, de regarder et de sentir ce qui se passe autour de lui, n'arrête jamais de parler. Pour des personnes un peu réservées comme Roger et moi, fortement allergiques à cette maladie, cette épreuve nous oblige à prendre notre mal en patience; la pauvre Lola, d'origine espagnole, qui parle à peine la langue française, ne réussit jamais à placer un mot, même si nous faisons de sérieux efforts pour lui donner la parole. Après le souper, la pluie a repris. Le retour au lit semble tout indiqué.

C'est au moment de fermer les portes du gîte pour la nuit que le drame se produit. *Le porc* qui n'a cessé de boire entre dans le dortoir, à moitié nu, complètement saoul. S'accrochant à tout ce qui traîne, chutant sur le moindre obstacle, il parvient péniblement à son matelas où il se laisse choir comme un sac de blé, entre deux jeunes Brésiliennes, déjà installées pour la nuit. Le bruit de la chute fait sursauter tous les occupants, alors que les deux jeunes filles se lèvent comme poussées par un ressort, en proie à la panique. L'*ivrogne* se met alors à grogner, à meugler, à beugler, à invoquer les saints du ciel ou les démons de l'enfer, juste avant de se relever, de chuter à nouveau, puis de courir vers l'extérieur pour aller vomir. Durant l'accalmie, les deux jeunes pèlerines, effrayées, atterrées, ne savent plus où aller, car tous les lits sont remplis autour d'elles. Quant à nous, couchés dans un coin très sombre, isolés, nous allons à leur aide et les invitons à venir s'installer au-dessus de nos lits. Ce qui fut fait promptement, mais non sans difficultés, car aucune des deux jeunes filles n'a une lampe de poche, et nos lits en retrait ne reçoivent aucune lumière. L'installation complétée, le *cochon* revient occuper sa paillasse, mais ses grognements continus empêchent plus d'un pèlerin de connaître un sommeil paisible.

Au lever, pendant que je ramasse mes effets, la jeune Brésilienne couchée au-dessus de mon lit met la main sur mon épaule et me remercie de l'avoir aidée. Ce matin, notre attention va plutôt vers la jeune Miguelle, très malade au cours de la nuit, qui n'est pas encore levée. Avant notre départ, nous passons près de son lit et lui souhaitons de se remettre en forme. Cette jeune fille s'est intégrée à notre groupe depuis plusieurs jours déjà. Malgré la différence d'âge, elle fait toujours les premiers pas pour nous accompagner au restaurant ou partager avec nous l'apéritif. Sur le chemin, elle a l'habitude de nous demander, à tour de rôle, de marcher à courte distance, soit devant elle, soit derrière elle, la présence d'un autre pèlerin lui donne le sentiment de sécurité dont elle a besoin. Malheureusement, nous n'avons jamais revu Miguelle et Itz, pas plus que le *porc* qui a gâché notre nuit. Une heure après notre départ, juste à l'entrée de Fromista, les deux jeunes Brésiliennes nous rejoignent à vélo, s'arrêtent pour nous dire deux mots, puis repartent vers l'avant, sans qu'il soit possible de les revoir.

La ville de Fromista, au cœur d'une belle plaine fertile où l'on cultive le blé, tire son nom du mot latin qui désignait cette culture, *fromentum*. L'intérêt de la ville vient de l'architecture de la vieille cité médiévale, en forme de bastide, groupée autour de son église San Martin. Ce joyau roman à trois nefs domine complètement les autres établissements de la ville. À l'intérieur, la décoration du XIe siècle, faite de pierres rose ocre minutieusement appareillées rappelle l'architecture toulousaine de briques. Cette église demeure l'unique vestige du célèbre monastère bénédictin fondé en 1066. Près de l'édifice religieux, une autre église, Santa Maria del Castillo, a été construite sur l'emplacement d'un château. L'ancien gîte qui servait aux pèlerins est devenu aujourd'hui l'un des meilleurs restaurants de la place.

De Fromista à Carrion de los Condes, le sentier suit à faible distance une route provinciale qui relie quelques villes. À travers les grands champs de blé, un chemin de terre serpente légèrement, monte et descend selon les ondulations des collines, laissant au pèlerin tout le temps pour rêver, réfléchir et même méditer. Dans cette région, peu importe de quel côté se porte notre regard, le sentier est constamment jalonné de petites églises, d'anciens monastères ou de ruines d'antiques châteaux. À la sortie du village de Poblacion de Campos, après la visite de l'ancienne commanderie, en compagnie de Carolina et Nam Ti, je tente en vain de les suivre sur le sentier; malgré leurs courtes jambes, ces deux jeunes filles marchent à un rythme si rapide qu'un vieux comme moi risque d'y laisser sa peau.

Chaque fois que mes pas croisent ceux de ces deux jeunes filles, je suis toujours séduit par l'harmonie qui règne entre elles. De même grandeur, s'adonnant aux mêmes tâches en même temps, elles ne se laissent pas d'un centimètre. Nam Ti, avec ses yeux en amande et son sourire retenu, suit Carolina comme son ombre. La jeune étudiante d'Argentine me paraît plus fonceuse. Elle va plus facilement vers les autres pèlerins. Son sourire, continu et serein, mériterait d'être gravé dans la pierre.

D'autres souvenirs du passé méritent le détour. À Villalcazar de Sirga, entre autres, dans ce petit village brûlé par le soleil, l'énorme et austère église des Templiers de Santa Maria la

Blanca, sise sur une colline, pointe son clocher au-dessus de la campagne environnante. Dans le passé, cet édifice, à la fois cathédrale et forteresse, avec son puits intérieur pour soutenir des sièges, était considéré comme une place forte; aujourd'hui, elle abrite dans ses trois nefs de nombreux tombeaux, statues et peintures anciennes. Ce qui est étonnant, c'est de retrouver dans cette église, perdue au milieu des champs, des tombeaux de rois, comme celui de Fernando roi de Castille, celui de Felipe roi de Séville, et ceux de nombreux princes et princesses de l'époque.

Après plusieurs visites d'églises et une petite douche venue du ciel, je m'arrête au couvent Santa Maria des Sœurs Claristes pour y trouver un gîte. Une aile du monastère est réservée aux pèlerins de saint Jacques. Cette ville de moyenne importance, Carrion de los Condes, était considérée jadis comme l'un des greniers des Princes de Castille. Le pèlerin y trouvait tout ce dont il avait besoin pour continuer son chemin. Aujourd'hui, plutôt prospère, assez moderne, elle n'a rien pour retenir le visiteur, si ce n'est qu'un café internet, fort bien aménagé, reçoit la visite de la plupart d'entre nous. Pendant que j'envoie mes messages, Roger repère un restaurant fort sympathique pour le souper. Nous y allons avec Lola, la dame espagnole, en jouant de mille ruses pour semer le pèlerin atteint de la parlotte. Une seule soirée a suffi pour nous prémunir contre ce mal.

En ce matin du 4 octobre, la journée s'annonce monotone. Peu après la sortie de Carrion de los Condes, le sentier rejoint une ancienne voie romaine en pleine campagne. Pendant plus de dix-huit kilomètres, le pèlerin avance sur une longue route droite, à travers de grandes étendues désertiques, sans rencontrer une seule habitation. Cette région, que les habitants appellent le *paramo*, est en fait un fond d'une vallée ensablée, lavée depuis des centaines d'années par des pluies qui descendent des montagnes, plus au nord. En période de grandes crues, les terres peuvent être inondées, mais dès que l'eau se retire, il ne reste que du sable ou du gravier. Ce long sentier rectiligne se termine par une montée vers un premier village, Calzadilla de la Cueza. Le petit bar à l'entrée du village subsiste grâce à la clientèle du chemin. Il suffit de s'arrêter quelques instants pour voir arriver les autres pèlerins.

Les habitations de cette région sont d'un type très particulier. Dans ce village-rue, construit le long de l'ancienne voie romaine, les maisons sont en adobe, briques en terre séchées au soleil, recouvertes d'un torchis fait de boue et de paille mêlées. Ce type de construction donne au village une chaude tonalité d'ocre aux nuances variées. Malgré leur apparence de grande pauvreté, ces maisons ne manquent pas de confort; à la surprise de chacun, elles possèdent généralement les appareils ménagers que l'on retrouve dans les demeures modernes. Dans les autres villages sur le chemin, Ledigos, Terradillos de los Templarios, Moratinos et San Nicolas del Camino, nous observons la même façon de construire les maisons. La plupart de ces résidences sont habitées maintenant par des personnes âgées. Sur les quarante habitants de Ledigos, il n'y a qu'un seul enfant; à Terradillos de los Templarios, où nous nous arrêtons, nous apercevons trois enfants qui jouent devant l'église, pour une population d'une soixantaine de personnes.

Terradillos de los Templarios, comme le dit si bien son nom, est un domaine qui appartenait aux Templiers. Les anciens pèlerins pour gagner des sous devaient s'arrêter parfois, travailler quelques semaines, voire quelques mois, pour remplir leur gousset afin de terminer leur périple. Pour cette raison, dans bien des cas, les pèlerins d'autrefois mettaient de trois à quatre ans pour compléter leur pèlerinage. Les moines-soldats engageaient ces visiteurs, les nourrissaient et leur donnaient de l'argent pour leur travail. Ces *petites terres* des Templiers servaient aussi à nourrir les pèlerins qui passaient par là. Les Templiers sont ainsi devenus très riches, parce qu'ils avaient compris les lois du commerce: ils amassaient de grandes quantités de biens, à peu de frais, biens qu'ils revendaient au détail.

Dans le gîte, les deux jeunes dames, *las hospitaleras*, font tout pour rendre notre séjour agréable. Terradillos de los Templarios possède ni restaurant, ni épicerie; le gîte fournit l'essentiel: petite épicerie de dépannage, le souper et le déjeuner. Ce bâtiment en adobe, avec ses chambres à quatre lits, sa douche à l'eau froide et sa salle de bain, nous assure un confort convenable. Un seul menu est au programme du souper et un baril de vin, dans un coin de la pièce, permet de nous abreuver à volonté. Au cours de la nuit, la dame d'un jeune couple de Brésiliens provoque un va-et-vient incessant dans le dortoir. Ses gémissements trahissent de grandes douleurs; le lendemain, très tôt, un taxi vient chercher le couple. Celui-ci avait soupé à notre table, la veille, et planifiait d'arriver à Santiago en même temps que nous. Ces deux personnes fort sympathiques nous suivaient par intermittence depuis Roncevaux; malheureusement, nous ne les avons plus revues. La nourriture, au long du sentier, n'est pas toujours fraîche et les sources d'eau potable parfois mal identifiées, il faut donc être prudent. Roger et moi prenons tous les jours notre dose de potion antivirale. Cette attitude peut faire sourire certains, mais un fait existe: nous sommes les seuls à ne pas avoir connu la maladie. En cet automne pluvieux, dans les régions traversées, la grippe sévissait plus qu'à l'accoutumée parmi la population espagnole.

Nous quittons le gîte en pleine noirceur, sous une pluie froide et abondante. Cinq kilomètres plus loin, après le village de San Nicolas del Real Camino, nous entrons dans la province de Leon.

Le plateau du Gévaudan, en France

Le village de Saint-Privat-sur-l'Allier

L'église Saint Roch de Montbonnet

Bornes du chemin, Carrion de los Condes

Azofra

Un chemin isolé après Azofra

Leon

Entre Terradillos de Templarios et Sahagun, le sentier suit d'assez près la Nationale 120. Comme il pleut toujours abondamment, je marche avec le capuchon sur la tête, le bâton bien fixé dans la main, pour éviter toute glissade. Quelques jours auparavant, une dame Autrichienne, en traversant un ruisseau, a perdu pied et s'est retrouvée à plein dans la mare d'eau. En plus de nous mettre dans une situation désagréable, une telle chute peut entraîner des blessures. Comme un vent de face pousse la pluie froide qui nous lave constamment la figure, j'ai rangé mes lunettes en sécurité et j'avance résolument au milieu de l'intempérie. Nous avons convenu de nous arrêter au premier petit bar de Sahagun pour un café réconfortant. À peine avons-nous franchi la porte de l'établissement que la télévision locale annonce une pluie continuelle pour le reste de la journée. Rien de très stimulant pour un moral déjà à basse altitude ! Même si ma montre indique onze heures, nous nous arrêtons au gîte pour visiter les lieux. L'endroit est magnifique. Aménagé à l'arrière d'une grande église, juste au-dessus de l'Office du tourisme, avec ses compartiments à quatre lits et une voûte gigantesque sur nos têtes, l'accueil nous plaît d'emblée. Sans aucune hésitation, nous laissons tomber nos sacs.

Attablés dans un bar pour le dîner, nous apercevons Jacques et Peter qui poursuivent leur route. Le temps est compté pour eux et ils ne peuvent pas s'arrêter. Nous les saluons simplement de la main. Nous reverrons Peter à Santiago, mais Jacques sera déjà reparti pour la Suisse, deux jours auparavant. S'il est facile de se rencontrer sur le chemin, le moment de se quitter, lui, dépend souvent de circonstances difficilement prévisibles. Ces deux compagnons de route bien sympathiques, avec qui j'ai eu souvent l'occasion d'échanger, me suivaient depuis le départ de Roncevaux. Quand j'ai su que cette séparation se confirmait, comme toutes les autres auparavant, un nuage de tristesse m'a envahi. Heureusement, en revenant du bar, nous apercevons Terry, le Néo-Zélandais, qui entre juste derrière nous. Il nous apprend que Gabriela, Miguelle et l'autre Hollandais, Itz, ont été forcés de quitter le chemin définitivement pour des raisons de santé. D'autres pauvres victimes qui tombent sur le chemin et qui ne verront pas Santiago.

En fin d'après-midi, le gîte est rempli à pleine capacité. Je profite de mes moments libres pour visiter le café internet. Mes rêvasseries ne me font pas oublier ceux qui sont restés au pays et qui me soutiennent de leur message encourageant. À mon retour à mon matelas, je me rends compte que des musiciens s'affairent, dans la partie avant de l'église, à préparer leurs instruments pour un concert en soirée. Même si un grand mur vitré sépare l'avant de l'arrière, un loustic vient afficher, avant le souper, un carton blanc sur lequel ces simples mots sont écrits: *Prohibido roncar* (Interdiction de ronfler). Nous montrons l'affiche à notre ami Ludwig, couché dans notre compartiment, qui se contente de sourire. Cependant, le soir, en revenant du restaurant, le cher Allemand à la trompette sonore a déjà retiré son matelas pour l'installer dans un coin de la cuisine, la partie la plus éloignée de l'avant de l'église. Dans la nef, à la place de l'autel, deux violonistes et une clarinettiste donnent un concert de musique classique qui se termine vers dix heures, laissant chacun de nous dans l'aura de ces douces sonorités.

Au lever, après avoir dégusté nos petits fourrés au chocolat, nous repartons sous la pluie, tout d'abord le long de la Nationale 120, puis à côté d'une route de campagne plus paisible. Un vingt kilomètres sans histoire. Deux seuls villages, bien espacés, coupent notre sentier, Calzada del Cato et Bercianos del Real Camino. Pour les six derniers kilomètres, la ligne droite ne saurait tricher, nous marchons encore sur une ancienne voie romaine, *la via trojana.*

La seule véritable action de la journée se déroule dans le gîte de El Burgo Ranero où nous désirons coucher. Pendant que nous prenons notre dîner dans le seul restaurant du village, au gîte, la dame responsable, Brésilienne d'origine, a maille à partir avec des Espagnols de la région. Sans jamais connaître les causes et les circonstances du conflit, nous sommes, au retour, les témoins impuissants de tensions véritables entre les Espagnols et cette dame. Elle se montre sympathique avec nous, mais demeure constamment aux aguets, tellement elle est à couteaux tirés avec quelques marcheurs de la région. Il faut dire que certains Espagnols, souvent de simples randonneurs, aiment bien manifester qu'ils sont chez eux, que les gîtes leur appartiennent; aussi, supportent-ils difficilement la présence d'étrangers à la direction de leur établissement. La vie lui étant à ce point difficile, l'aimable *hospitalera* quitte le gîte vers 18h00, laissant de jeunes Espagnols faire la fête une partie de la nuit.

Le lendemain matin, sous la pluie encore, le chemin poursuit sur une plaine désertique pour les prochains huit kilomètres. Cette fois, les arbustes plantés le long du chemin ont tenu le coup devant les sécheresses de l'été, quelques-uns seulement sont desséchés; un peu d'espoir pour les éventuels pèlerins qui pourront retrouver de l'ombre, dans une dizaine d'années, durant les périodes de canicule. Pour le moment, ces légers feuillages ne font nullement écran au vent et à la pluie. Un seul village pour prendre un café, à mi-chemin entre les deux gîtes, Reliegos. Après cet arrêt, fort heureusement, la pluie cesse, mais le vent augmente d'intensité. Sur le plateau, il faut s'accrocher à la route tellement le vent souffle avec force. Pour éviter de replacer constamment mon chapeau, bien retenu par un solide cordon, je relève mon capuchon et serre la fermeture. Nous approchons des montagnes de Leon qui se profilent déjà à l'horizon. Le paysage change et des genêts poussent le long des ruisseaux, signes avant-coureurs d'arbres plus robustes et plus grands. La *meseta* disparaît définitivement derrière nous, avec ses vastes plaines de grandes solitudes. Et c'est ainsi que nous arrivons à Mansilla de las Mulas, à peu près séchés.

Située à un carrefour de routes, cette vieille cité médiévale est aujourd'hui formée de trois petites villes rapprochées sur les bords de la rivière Esla. Mansilla de las Mulas tire son nom du célèbre marché de mules qui s'y tenait chaque année. De plus, comme cette agglomération servait de bastion de défense pour les rois de Leon, d'épais remparts entourent encore aujourd'hui le vieux centre-ville. Le gîte, situé au cœur de l'antique cité, dans un ancien collège désaffecté, conserve le charme des grands établissements des siècles passés, avec ses vieux escaliers, ses salles de classe transformées en dortoir, et sa cour intérieure ceinturée par une large promenade sous arcades. La pluie ayant repris, il faut étendre le linge à l'ombre, enlevant ainsi toute possibilité de séchage. Pour moi, grâce à mes vêtements synthétiques, la situation demeure tolérable, mais pour bien des pèlerins, ces pluies continuelles rendent très difficile l'entretien de leur linge. Plusieurs doivent remettre cinq jours de suite des vêtements humides qui sentent la sueur et la moisissure.

En ce dimanche après-midi, tous les centres d'alimentation ont fermé leurs portes, à l'exception de la petite épicerie qu'une dame âgée accepte d'ouvrir à chaque pèlerin qui se présente. Il suffit de frapper à sa porte, de mentionner que nous allons à Santiago; elle nous fait alors passer par une cour intérieure qui conduit à l'arrière de son commerce. Cette dame, comme plusieurs autres marchands des petites agglomérations, se fait un devoir presque religieux d'ouvrir son épicerie à ces visiteurs qui avancent sur le chemin. J'ai rarement vu une de ces personnes manifester un signe d'impatience, au contraire, même si dans la majorité des cas, elles sont unilingues espagnol, elles prêtent l'oreille aux moindres désirs de leurs clients. Une telle attitude est très appréciée des pèlerins.

Vers 18h00, le gîte s'étant rempli à pleine capacité, la cuisine, quoique bien équipée, offre peu d'espace pour autant de pèlerins. Comme à l'accoutumée, en visitant la cité médiévale, nous découvrons un petit restaurant qui suscite notre intérêt par son décor et sa manière de présenter le menu. Denise, une femme suisse qui marche avec sa concitoyenne Marianne et Ditter le Flamand, nous accompagne, de même que Lola qui arrive au gîte en fin d'après-midi. Ce soir, comme d'autres l'ont fait auparavant, le restaurateur accepte d'ouvrir à 20h00 pour les pèlerins, alors que les Espagnols vont se présenter vers 22h00 pour le repas du soir. La pluie, dehors, ne lâche pas prise; dans le décor charmant d'une vieille maison du XIIe siècle, nous partageons là un excellent repas arrosé d'un chaleureux vin de Leon.

La pluie a cessé au cours de la nuit, mais le lendemain, 8 octobre, un vent fort souffle en rafales. Avant de partir, je sors mes gants de mon sac car, dans la cour intérieure, le thermomètre indique un maigre 0 degré. Dans la petite cuisine, bien des pèlerins qui ont dû revêtir du linge humide, grelottent et se plaignent de la mauvaise température. Par des gestes de sympathie et des paroles encourageantes, nous essayons de nous stimuler les uns et les autres à reprendre le chemin; pour plusieurs, cependant, le moral descend en chute libre. La pluie, le vent et le froid, tous les éléments se liguent contre les pauvres pèlerins dont plusieurs n'ont pas dormi, leurs draps de couchage étant trop minces pour atténuer le froid. Pour la première fois, j'ai réellement apprécié ma momie qui me permet de dormir, sans problème, à des températures frôlant le zéro.

Près du pont, à la sortie de la ville, dans la pénombre, car le soleil ne se lèvera pas avant une heure, je croise trois pèlerines qui ont attendu en vain l'autobus, le conducteur, n'ayant sans doute pas compris leurs signaux, est passé à côté d'elles sans s'arrêter. L'une des dames pleure, n'en pouvant plus de grelotter. Comme aucune ne parle espagnol, je vais m'informer pour elles afin de connaître l'horaire des cars. Le prochain véhicule public passera à 10h30, trois heures plus tard. Impuissant à soulager leur détresse, je les regarde se diriger à nouveau vers le gîte.

Le sentier qui suit et croise à l'occasion la Nationale 120 offre un paysage plutôt terne, d'autant plus que ce vent fort et glacial nous oblige souvent à marcher de côté. Depuis le départ, mes pensées reviennent constamment vers Felice. Je la vois avancer devant moi, par mouvements déhanchés, traînant sa jambe malade. Au déjeuner, je ne me suis pas intéressé aux propos de pèlerins qui envisageaient de prendre l'autobus pour Leon. Je me sentais incapable de trahir la promesse faite à la jeune handicapée espagnole. Son courage brûle en moi comme un feu sacré. Elle sait que je marche pour elle, alors je fonce dans la tourmente, face au vent.

Je rejoins Roger à Villarente pour notre café matinal, lors d'un croisement avec la route nationale, juste après la traversée d'un très beau pont romain, sur la rivière Porma. Lui aussi a trouvé cette première partie du chemin plutôt rude, mais cette situation n'émousse en rien sa volonté de poursuivre à pied. Dans les moments difficiles, j'apprécie grandement la détermination de ce compagnon de route qui n'évoque jamais la possibilité de s'arrêter ou d'utiliser le service des autobus.

Je garderai toujours en mémoire l'image de cet homme qui m'a longuement accompagné sur le chemin d'Espagne. De ma grandeur et de mon âge, ou presque, d'apparence un peu fragile, légèrement voûté, ce pèlerin possède une force intérieure exceptionnelle. Alerte sur le sentier horizontal, il sent le besoin de ralentir dans les montées. Mais c'est surtout durant nos arrêts que je l'ai connu. Je n'oublierai jamais nos silences partagés ensemble, et les réflexions qui suivaient... Comme moi, Roger est un homme réservé, discret. Attentif à tout ce qui se déroule autour de lui, il ne craint pas d'affirmer que rien ne lui échappe. De plus, raison suprême, il pense tout ce qu'il dit. Sa présence apporte confiance et sérénité. J'aurais pu marcher encore des mois avec lui.

Par bonheur, le sentier s'écarte légèrement de la route, devenue à l'approche de Leon, pratiquement une autoroute, tellement la circulation se fait intense. Des vestiges de l'époque romaine, dispersées ici et là, nous rappellent que Leon, du temps des Romains, était née de la présence d'un imposant camp militaire, implanté là pour recruter et former des soldats qui allaient étendre la réputation de l'armée romaine jusqu'aux confins de l'Empire. Les empereurs Vespasien et Trajan, si ma mémoire est fidèle, ont appris le métier des armes dans ce camp romain.

L'entrée dans Leon a ses petits côtés rocambolesques. Le pauvre pèlerin doit cheminer le long d'une autoroute en construction, face à une circulation très dense où les voitures et les camions roulent à une vitesse folle. Parfois, sur d'autres tronçons, dans la boue fangeuse de terrains imbibés d'eau, à quelques dizaines de pieds des voitures, nous devons nous frayer un chemin à travers les tracteurs et les camions; ceux-ci n'arrêtent pas les travaux et se préoccupent peu d'un simple marcheur, même guidé par la main de saint Jacques. À l'instant même où mes bottines touchent le très long pont réservé aux piétons, le *Puente del Castro*, un soupir de satisfaction s'échappe de ma poitrine: je suis bien sain et sauf! Puis le rituel habituel: les coquilles de cuivre sur les trottoirs nous indiquent la ligne à suivre pour rejoindre la cathédrale, le point de ralliement de tous les pèlerins.

Harassés par ces vents continuels, le ventre creux, nous réservons nos visites pour l'après-midi et nous gagnons notre gîte, au Monastère des Sœurs Benedictinas de la Santa Maria de Carbajal. Un *hospitalero* que Roger a rencontré à Roncevaux nous accueille avec beaucoup de chaleur et nous conduit au dortoir. Les pèlerins, partis le matin en autobus, se sont déjà installés et nous expliquent les us et coutumes de l'établissement. Après la douche, nous nous dirigeons vers La Sacristie, un excellent bar en face du gîte; le tenancier, un Italien jovial à la voix d'or nous offre une magnifique pizza, arrosée d'un bon vin de Leon. Ainsi, après quelques bonnes gorgées de cette boisson du pays, les vents froids du matin sont dorénavant classés dans la fiche: souvenirs du chemin.

En après-midi, je vais visiter l'immense cathédrale San Marcos, un joyau de l'art gothique, très lumineuse, avec ses cent vingt-cinq fenêtres, ses cinquante-sept oculi et ses mille huit cent mètres carrés de vitraux. Ce très bel édifice, la gloire de Leon, est situé à moins d'un kilomètre d'une autre église, San Isodoro, panthéon aux vingt-trois tombes royales, élevée sur les ruines d'un ancien temple romain de Mercure. Bref, une promenade fort riche en histoire.

Vers 18h00, en sortant de la cathédrale, je croise Terry. Nous nous arrêtons à un bar pour digérer toutes ces découvertes historiques. Pour ce Néo-Zélandais qui connaissait peu l'histoire de l'Espagne, avant son arrivée sur le chemin, l'exploration de ces monuments suscite une réflexion philosophique que j'aime beaucoup partager avec lui. Nos esprits voyagent volontiers à travers le temps et l'espace: qu'il s'agisse du Parthénon d'Athènes, des Pyramides d'Égypte, de Saint-Marc de Venise qu'il a découvert avant de venir sur le chemin, ou encore des cathédrales de Burgos et Leon que nous venons de visiter, toutes nos discussions portent sur l'histoire de l'humanité, la création des hommes, le sens de nos vies à travers les diverses manifestations de l'esprit humain. Ces échanges avec Terry, dans la langue de Shakespeare bien entendu, demeurent parmi les plus beaux moments de mon Chemin de Saint-Jacques-de-Compostelle.

De retour au gîte, Pierre, *l'hospitalero* et ami de Roger, nous attend pour le restaurant. Il nous conduit dans une toute petite boîte où le restaurateur prépare un repas juste pour nous, les douze pèlerins de Pierre. Les deux dames présentes font remarquer à notre hôte que le Christ à Gethsémani n'avait que des hommes autour de lui, signe que l'Église est en période de profonds changements. Cet homme, extrêmement volubile, dont le parler pourrait s'apparenter à celui de quelques bons comédiens, se plaît à nous raconter des histoires du Chemin, ayant été associé à celui-ci depuis quelques années. Derrière cette montagne de mots qui ne cessent de déferler devant nous, se cache une pensée, une réflexion qui n'est pas dépourvu d'intérêt. Même si je n'ai prononcé que deux mots de tout le repas, cette rencontre fraternelle m'a plu par son ambiance chaleureuse et sa jovialité bon enfant.

Le lendemain matin, après l'excellent déjeuner servi par Pierre en personne, nous quittons le gîte sous la pluie et en pleine noirceur. La triste conséquence qui s'en suit: nous utilisons le mauvais pont pour sortir de la ville, ce qui allonge notre promenade de quelques kilomètres. Une ville se mesure souvent à l'étendue de ses banlieues; dans ce cas, Leon demeure une très grande ville. Durant les deux premières heures, nous maintenons l'impression que la ville s'étire, s'étire à l'infini. Finalement, sur une colline, la plaine apparaît au loin. Nous nous arrêtons dans le dernier bar pour le café. Comme le tenancier n'a pas disposé de madeleines, je crois saisir des gâteaux sur le comptoir; ce sont plutôt des morceaux de pizza qui ont vieilli, car des moustaches de moisissure embellissent leur pourtour. Je les montre au proprio qui, sans dire un mot, remballe les morceaux de pizza soigneusement, les remet à la disposition de ses futurs clients, nous offrant des gâteaux en échange. Pour effacer de notre esprit cette mauvaise image, il nous sert un nouveau café dans lequel il a versé une once d'une boisson de son pays, un vrai nectar à l'arôme de café. Nous quittons son établissement en le remerciant, mais aussi en nous promettant bien de ne jamais toucher aux morceaux de pizza sur les comptoirs des bars.

Après Virgen del Camino, la dernière banlieue où nous nous sommes arrêtés pour le café, le sentier s'enfonce dans la plaine désertique, le long de la Nationale 120. Toute la journée, nous marchons à deux pas de cette route très passante. Le bruit incessant des voitures, parfois la pluie, mais toujours le vent, tout nous rend ce sentier détestable. Roger, handicapé par un fort rhume, doit ralentir sa course pour ne pas s'épuiser. Et pour couronner toutes nos épreuves, plusieurs pèlerins n'ont pas caché au départ qu'ils prenaient l'autobus à nouveau, qu'ils nous attendraient quelques étapes plus loin. Décidément, l'ange gardien de Felice doit travailler fort pour me maintenir sur les sentiers.

Au début de l'après-midi, nous entrons dans Villadangos del Paramo (traduction libre: une villa dans le désert) et nous déposons nos sacs dans le gîte municipal, sans nous faire prier. Cette vieille école primaire, à l'entrée du village, ne paye pas de mine, mais nos attentes ne sont pas très élevées. D'abord seuls dans le gîte, nous sommes rejoints par Dominique, un Québécois de Beauport, puis par Fitzgerald et Rosemary, les deux Américains de San Francisco, et finalement par un groupe de cyclistes espagnols qui comblent les dernières places disponibles. Pour le souper, *l'hospitalera*, une religieuse du village, nous prépare elle-même des tortillas pour une somme modique. Dominique et moi sommes les seuls à acheter chacun une bouteille de vin pour le souper. Les Espagnols s'empressent d'ouvrir les bouteilles et de se servir les premiers afin de goûter si cette boisson en vaut la peine. Aucune contribution de leur part, situation que nous avons appelée: le partage unidirectionnel.

Au moment de nous mettre à table, un jeune couple de Britanniques se présente à la porte, complètement épuisé. La jeune femme blonde a marché à la limite de ses forces. Aussitôt entrée, elle s'étend de tout son long sur le plancher de la salle à manger. Pendant plusieurs minutes, couchée par terre, elle pleure comme une Madeleine, pendant que son ami essaie en vain de la réconforter. À la fin de notre repas, elle a repris ses esprits. L'*hospitalera* leur prépare une nouvelle tortilla et ils dorment là, sur le plancher, quelques couvertures leur servant de sacs de couchage.

Le lendemain, 9 octobre, nous repartons toujours en pleine noirceur, sur le bord de la route, ce qui nous semble plus sécuritaire. Dès les premières lueurs du jour, nous rejoignons le sentier qui suit la route de près, pendant dix kilomètres, jusqu'au célèbre Puente de Orbigo. Sur ce très long pont romain, fait de vingt arches sur une distance de deux cent mètres où, en 1434, un chevalier espagnol, Don Suero de Quiñones, pour faire plaisir à une dame, a livré plus de trois cents combats, sur une période d'un mois, sans jamais être vaincu. Ce haut fait d'armes, relaté dans bien des récits de pèlerins, a inspiré plusieurs artistes de l'époque.

Après la traversée du pont, le marcheur peut apercevoir au fronton de l'église Santa Maria de Orbigo une grande croix des chevaliers de Malte, qui rappelle que, dès 1185, l'ordre des chevaliers de Saint-Jean-de-Jérusalem, avait construit, à côté de l'église, un célèbre refuge pour pèlerins. Un calvaire de pierres, élevé sur ces ruines, commémore la présence de cet établissement très connu au Moyen Âge.

La visite de l'église terminée, nous reprenons le sentier en direction de la campagne. Avec le lever du soleil, le calme de la vie agricole, le chemin sourit enfin aux pèlerins. En cette belle journée d'octobre, heureux comme un enfant de la nature, je marche pendant trente kilomètres, porté par la joie du pèlerin: d'abord à travers la plaine couverte de blé, puis dans la montée d'une importante colline, sur un sentier rocailleux qui traverse une forêt de chênes-lièges, ensuite durant la traversée d'un plateau fertile où des massifs de peupliers se partagent l'espace avec de grands champs de blé, et finalement dans la descente vers Astorga, sous le soleil chaud qui ramène la gaieté parmi les pèlerins.

Construite sur un large plateau, cette ville fut d'abord la capitale protohistorique du peuple Asture. Les Romains la baptisèrent Astorica Augusta et la considérèrent comme la capitale des Asturies. Détruite par les Wisigoths, occupée par les Arabes, reconquise par le roi de Castille, Alphonse 1er qui la reconstruisit et en fit la principale ville de la région. Astorga a toujours joué un rôle important dans l'histoire du chemin et les nombreuses églises et monastères qui s'y sont implantés en font foi.

Nous logeons dans le grand gîte municipal, un ancien collège, situé juste au bout de la longue promenade sur les remparts, presque en face de la cathédrale. Par cet après-midi ensoleillé, la vue sur la ville en bas et sur la plaine qui s'étend au loin est absolument magnifique. Enfin, l'opération *séchage du linge* peut se faire en toute quiétude: des cordes installées à l'extérieur du bâtiment, vis à vis les fenêtres, exposées au vent et au soleil, permettent une action rapide et efficace. La joie rayonne sur les visages des pèlerins en plein travail de lessive. En fin d'après-midi, pour la première fois depuis longtemps, tous les amis rencontrés les semaines précédentes se retrouvent dans le même gîte. Après la visite de la cathédrale et de son célèbre évêché, un véritable monument de l'architecte Antoni Gaudi de Barcelone, et un tour de la ville, nous nous réunissons tous ensemble, dans un restaurant pour fêter le départ d'un couple autrichien qui doit nous quitter le lendemain. Ces deux personnes, plutôt discrètes, nous suivent depuis Burgos. Le travail les rappelle à la maison; ils finiront leur pèlerinage l'an prochain.

En quittant Astorga, le matin, le temps couvert annonce une période de pluie à brève échéance. L'éclairage des lampadaires nous aide à sortir de la ville sans trop de difficultés, mais rendus dans la campagne, sur ce chemin très sombre, seules les voitures qui s'avancent en notre direction permettent de nous situer correctement, car le sentier longe la route de très près. Toujours en pente ascendante, le sentier se dirige tout droit vers les montagnes de Leon. Vers dix heures, la pluie commence à tomber.

Après la traversée de deux villages, distants de trois à quatre kilomètres, Valleviejas et Murias de Recivaldo, nous pénétrons dans Santa Catalina de Somoza, une agglomération d'une dizaine de maisons, construites en pierres des champs et recouvertes d'un toit de chaume. Les murets qui séparent les propriétés, les clôtures et mêmes les rues n'utilisent que la pierre des champs. Un couple de personnes âgées tient un petit bar pour les pèlerins. En été, l'endroit semble très fréquenté, comme le laissent supposer les nombreuses photos affichées sur les murs de leur établissement, qui montrent de grands groupes de marcheurs assis devant leur porte. Ce petit café chaud fait du bien aux muscles endoloris, puisque au fur et à mesure que nous montons, la pluie froide tend à crisper le système musculaire.

À la sortie du village, le sentier avance dans la montagne sur des roches, qui roulent sous nos pieds, en direction de la prochaine agglomération, Ganso, sur un plateau complètement dénudé. Avec ses maisons basses, toutes en pierres, dispersées ça et là, dont les toits de chaume descendent près du sol, ce village fantomatique crée dans le brouillard un décor des plus sinistres, comme si toute vie avait disparu. La pluie limite notre vue et nous empêche de contempler longuement le paysage qui se dérobe sous nos yeux dans les vallées couvertes d'épais nuages. De quoi vivent les gens de cette région, que les habitants appellent *La Maragateria*, où le sol rocheux, aride et sans végétation, offre bien peu? Bien malin qui pourrait l'expliquer. Après la traversée du village, le sentier poursuit sur le plateau avant de redescendre vers une petite vallée plus fertile où la communauté Saint James a aménagé un gîte dans le bourg de Rabanal del Camino.

Les Templiers y avaient construit, au XIe, une commanderie, pour alimenter les pèlerins, mais aussi pour les protéger des bandes de brigands qui infestaient les montagnes. Abandonnée au début du siècle dernier, cette agglomération a retrouvé vie avec le retour des pèlerins de Saint-Jacques. Aujourd'hui, le gîte est tenu depuis une dizaine d'années par un groupe de Britanniques, des laïcs qui se vouent à l'accueil des pèlerins. Ces personnes venues d'Angleterre se remplacent à tour de rôle, et pendant quelques semaines par année, donnent de leur temps pour aider les pèlerins. Dans le hall d'entrée, de nombreuses photos illustrent la progression des travaux accomplis depuis la fondation de leur établissement au début des années 90. Sources importantes d'informations, les responsables tiennent des statistiques très rigoureuses sur le nombre et la provenance des pèlerins. Nous y sommes très bien accueillis; peu après notre arrivée, dès 15h00, le gîte affiche complet. Le restaurant du village offre le souper tandis que les responsables de la communauté préparent le déjeuner du matin. Deux prêtres président, avant le souper, une cérémonie religieuse qui consiste essentiellement en des chants latins psalmodiés en grégorien, selon des rythmes lents, doux et mélodieux. Suit la bénédiction des pèlerins. Quand je demande à Ditter, le Flamand, s'il m'accompagne à la cérémonie religieuse, pour toute réponse, il me glisse avec un sourire en coin:

— Moi, tu sais, dans ma vie, j'ai tellement fait de fautes que le seul fait de m'approcher d'un bénitier, l'eau se met à bouillir.

Nous nous revoyons donc plus tard au restaurant autour d'une bouteille de vin; elle a gardé sa fraîcheur, malgré la présence de ce pécheur repentant. De retour au gîte, je m'endors en écoutant les tendres mélodies de la pluie que pousse en rafales un fort vent de montagnes.

Au lever, après un déjeuner succulent, préparé par les membres de la communauté, en pleine noirceur, dans un brouillard dense auquel se mêle une pluie fine, nous partons vers le sommet de la montagne, la Croix de fer, l'endroit le plus élevé du Chemin de Saint-Jacques (1 508 mètres). Cette fois, le sentier se confond avec la seule route cantonale qui monte vers *La Cruz de Hierro*. Roger et moi marchons l'un derrière l'autre, sur la ligne blanche à peine visible, car il est impossible de voir plus de trois mètres devant soi. Pendant huit kilomètres, comme des bêtes de somme, la tête baissée pour nous protéger de la pluie, les yeux rivés sur le tracé de la route, nous grimpons sans nous arrêter. Nous traversons le petit village de Foncebadon, sans apercevoir âme qui vive.

Arrivés au pied de la Croix de Fer, nous déposons nos sacs près de l'amas de roches. La pluie a cessé mais le brouillard très dense nous cache la croix. Un autobus de jeunes étudiants se vide lentement de son contingent. Pendant que ces adolescents lancent leur pierre et prennent des photos, nous en profitons pour faire le tour des lieux. Au moment où les visiteurs remontent dans le car, je m'approche de la croix et je sors de mon sac la pierre noire que j'ai cueillie sur mon terrain, derrière ma maison, avant de partir. Je la serre très fort au creux de mes mains en pensant à Felice, car ce vœu s'adresse uniquement à elle. Finalement je l'envoie derrière moi, parmi les autres pierres venues de tous les coins du monde. La tradition veut que le pèlerin apporte une pierre de chez lui, la lance derrière son dos en faisant le vœu pour lequel il fait le chemin. Au moment où Roger et moi exprimons nos vœux, le soleil perce les nuages pendant quelques secondes. Nous apercevons alors la croix dans son entier, juste assez de temps pour prendre des photos de chacun de nous. Dès que nous replaçons nos sacs sur nos épaules, le brouillard recouvre la croix et la montagne. Le soleil reviendra nous visiter, plusieurs kilomètres plus loin.

La descente de la montagne vers Molinaseca est considérée comme l'une des parties les plus dures du Chemin, d'une part à cause de la hauteur, 1 100 mètres de dénivelé, mais aussi à cause de la pente abrupte et de certains passages étroits le long des corniches, au-dessus des vallées, qui exigent une concentration de tous les instants, afin d'éviter les chutes.

Au départ de la croix, la route descend d'abord lentement. Dès que le soleil commence à se faufiler entre les nuages, les paysages qui se livrent lentement à nos yeux créent un véritable émerveillement: la féerie des couleurs aux sommets des montagnes émergeant du brouillard séduit le regard. Plusieurs fois je m'arrête simplement pour contempler le décor mouvant qui se déplace sous mes yeux. Puis, ces brumes du matin cheminent vers le fond des vallées et les montagnes multicolores apparaissent dans toute leur splendeur au moment où le chemin quitte la route pour s'engager sur d'étroits sentiers au flanc de ces mêmes montagnes. Tantôt au milieu d'une forêt de cèdres nains qui n'obstruent nullement la vue, tantôt sur des corniches parmi les genêts qui présentent des coups d'œil absolument splendides, je descends allègrement le sourire aux lèvres dans cet environnement radieux.

La cloche d'une simple chapelle tinte dans le lointain pour l'angelus du midi, au moment où un village au fond d'une vallée profonde laisse voir ses premières maisons, El Acebo. Roger, qui m'a devancé, m'attend à la porte d'un petit bar. Dès notre entrée, nous apercevons Dominique, attablé depuis quelque temps, qui termine une appétissante assiette. Je demande alors à la jeune fille qui se présente à notre table, de nous apporter à chacun une assiette semblable et la meilleure bouteille de vin qu'elle possède. Nous sommes d'accord pour fêter tout de suite la traversée de la montagne, étant à quelques kilomètres seulement de notre gîte de Molinaseca. La bouteille du Bierzo qu'elle ouvre devant nous possède un arôme... et l'assiette, pas mal du tout. Je crains cependant de voir venir l'addition, puisque nous nous sommes nullement informés des prix. Dominique paye 11.00 $ pour son assiette, ce que nous estimons assez élevé. Quand la jeune fille se présente à nouveau avec notre addition, nous restons incrédules: 16.00 $ pour les deux repas, la bouteille de vin comprise. Nous l'avions observé plusieurs fois auparavant, en Espagne, les prix sont souvent aléatoires. Dominique s'est fait comprendre difficilement en anglais, et il en a payé le prix. Pour nous, en espagnol, c'était une véritable aubaine. Il suffit d'observer un tantinet pour se rendre compte que la bière, dans les bars, ne coûte pas le même prix, selon qu'elle est commandée en anglais ou en espagnol, comme si au prix de la boisson s'ajoute obligatoirement celui de la traduction.

Quelques kilomètres plus loin, nous descendons dans une ville pittoresque, Molinaseca, en pleine festivité; en ce 12 octobre, la fête nationale des Espagnols bat son plein. Comme nous avons déjà commencé à festoyer à El Acebo, malgré nos trente kilomètres de montagne, nous nous sentons en forme pour continuer à célébrer.

Molinaseca, située juste aux pieds des montagnes, sans être considérée comme une station de ski, reçoit en hiver une nombreuse clientèle qui s'adonne à la pratique de ce sport. En cet après-midi de fête, la ville connaît plutôt une journée tranquille. Dans les parcs publics ou dans le méandre des ruelles, les habitants du lieu se promènent lentement, généralement en famille, profitant de ce doux soleil d'automne qui inonde encore la ville.

Notre gîte, une ancienne chapelle construite en bois, situé à plus d'un kilomètre de la ville, a été aménagé pour recevoir les pèlerins: au rez-de-chaussée, les toilettes, la cuisine et la salle à manger et au premier étage, autour d'un escalier au centre de la pièce, sont installés des lits superposés. Pendant que je m'installe, Fitzgerald, l'évêque de San Francisco, vient me rejoindre et dispose ses effets pour coucher au-dessus de mon lit, comme il a l'habitude de le faire. Mon respect pour cet homme, d'une grande gentillesse, n'a cessé de croître tout au long du chemin. Pendant que j'écris mes notes, quatre jeunes Espagnols arrivent en voiture, lancent leur sac sur un lit et repartent aussitôt. Quand le responsable vient recueillir les cinq cents pesetas pour le coucher, vers 17h00, quelques pèlerins lui mentionnent le fait. L'homme se contente de hausser les épaules. Il s'assure que tous les pèlerins présents donnent bien leur dû, puis quittent aussitôt, sa journée de travail étant terminée. Et nous ne l'avons plus revu. Les quatre jeunes entrent au cours de la nuit. Le lendemain matin, à notre départ, ils dorment encore à poings fermés.

Quatre kilomètres seulement nous séparent de Ponferrada. La pluie de la nuit a suffisamment lavé la ligne blanche, nous marchons le long de la route, la noirceur nous empêchant encore de bien distinguer le sentier. En entrant dans la ville, les premières lueurs du jour s'empressent de relayer les lampadaires qui s'éteignent à notre passage. Ponferrada, la deuxième plus grande ville de la province de Leon, doit son nom à un célèbre pont de fer construit au-dessus de la rivière Sil, à la fin du Moyen Âge. Les mines de fer étant nombreuses dans la région, les habitants y ont érigé le premier pont avec ce matériau. Au XIe siècle, les Templiers ont construit aussi une immense citadelle qui domine encore la ville de ses hautes murailles restaurées récemment.

Après avoir cheminé à travers une longue banlieue qui descend vers la rivière, je suis le cours d'eau jusqu'aux pieds de la citadelle. Après une courte visite à la basilique *Nostra Señora de la Encima*, je traverse le célèbre pont de fer sans vraiment le reconnaître, car depuis 1953, il est encastré dans une énorme structure de béton. À la sortie de la ville, la pluie abondante vient mettre fin à ma visite et rend difficile la recherche du chemin. Le sentier fait d'abord des zigzags à travers un parc public, puis un domaine privé, pour aboutir finalement au milieu des entrepôts des grands vignobles du Bierzo. Selon mon guide, le pèlerin doit poursuivre à travers les vignes, mais après cent mètres, sur cette terre glaiseuse détrempée par la pluie, nos bottines deviennent grosses comme des globes terrestres. Impossible d'avancer dans de telles conditions. Roger partage mon avis, nous bifurquons donc vers la route que nous allons suivre jusqu'au village voisin, Camponaraya. Arrosés de tous les côtés par la pluie poussée par de forts vents et par les véhicules que nous rencontrons, nous arrivons très propres au petit village où nous retrouvons le sentier qui serpente à quelques pieds seulement de la route.

Une seule intention guide nos pas à l'entrée du village de Cacabelos: trouver un abri et si possible un repas chaud. Dès le premier bar, une jeune fille comprend nos besoins et se dit prête à satisfaire notre faim. Pendant qu'elle prépare notre *tortilla*, elle nous apporte une excellente bouteille de la région, de ce vin dont nous avons respiré les effluves en longeant les entrepôts au début de l'avant-midi. À la sortie du bar, la pluie a cessé et déjà les rayons du soleil tentent de pénétrer la solide couche de nuages.

Même si le sentier continue près de la route, cette grande plaine très fertile entre la chaîne des montagnes de Leon et celle des monts du Cebreiro se livre toute entière à notre regard. À peine nos yeux ont-ils quitté les derniers monts derrière nous que d'autres apparaissent devant, tout aussi élevés. Finalement, les nuages quittent progressivement vers l'est et, sous un ciel ensoleillé, nous entrons à Villafranca del Bierzo, aux pieds de notre future montée

Cette ville, fondée par les chevaliers français qui voulaient un abri qui les protégerait, en cas de retraite, face aux armées du Sultan, fut également le siège d'un célèbre monastère français construit et dirigé par les Abbés de Cluny de France. Il reste peu de ruines des anciennes forteresses; elles ont été rasées par l'armée de Napoléon qui supportait mal de laisser derrière elle un tel château fort pratiquement imprenable. Construite de chaque côté de la rivière Burbia, à deux pas de hautes montagnes, cette ville est l'une des plus pittoresques du chemin. Installé dans le gîte municipal, récemment aménagé pour les pèlerins, je soupe avec Denise de Suisse et Roger dans un très bon restaurant italien où le propriétaire, qui a vécu pendant cinq ans sur la rue Christophe-Colomb à Montréal, profite de toutes les occasions pour venir nous dire deux mots et cueillir des nouvelles fraîches du Québec. À la sortie du restaurant, nous croisons Dominique et Patrick du Luxembourg qui viennent de trouver un moyen de faire transporter leur sac. La montée vers O'Cebreiro s'annonce rude, ils nous conseillent d'agir comme eux. Denise, gravement blessée aux pieds, a déjà pris sa décision: une courte étape en sandales. Quant à nous, il n'est nullement question de déroger à nos engagements. Même si nous sommes les seuls à partir avec notre sac sur le dos, nous savons que nous allons atteindre le sommet, morts ou vifs, tous nos bagages sur nos épaules.

Au départ, au petit matin, la même monotonie s'installe. Un épais brouillard couvre la montagne. Le sentier traverse d'abord la ville, puis s'engage sur une route de montagne peu fréquentée. La veille, nous avons étudié minutieusement le parcours. Pendant les vingt premiers kilomètres, la montée maintient une pente assez régulière, pas trop accentuée. Les huit derniers kilomètres, par contre, au moment où le pèlerin ressent une profonde fatigue, présentent un visage effrayant: une inclinaison accentuée sur un sentier fait d'un mélange de roches, de boue et de racines d'arbres, le tout arrosé par un bon débit d'eau, en cas de pluie.

De fait, la première partie du chemin file sans difficultés majeures, en dépit de certains travaux réalisés au-dessus du sentier pour la construction d'une autoroute surélevée. À quelques reprises, le sentier se confond avec des routes en déviation où une forte circulation rend notre marche périlleuse, étant donné que des véhicules de tout acabit cherchent leur chemin autant que nous. Après dix kilomètres de perturbations, nous rejoignons de paisibles villages de montagnes où la tranquillité n'a d'égal que la beauté des paysages. Inutile de les énumérer tous, ils se suivent à la chaîne jusqu'au pied du mont Cebreiro. Les quelques rayons de soleil qui réussissent à se faufiler entre les masses nuageuses donnent un éclairage particulier à ces villages accrochés à la montagne où le moindre palier sert de base à une habitation. Même si la pluie menace constamment de tomber, quelques gouttelettes seulement, lâchées sans doute par distraction, dégoulinent sur nos manteaux.

Nous nous arrêtons à Vega de Valcares pour y prendre une bouchée avant de nous engager dans la rude montée. Les Templiers s'y étaient installés jadis, sur un nid d'aigles, pour surveiller la vallée profonde, encaissée entre deux hautes montagnes. Ces donjons construits au-dessus de l'agglomération de maisons représentaient de véritables défis aux architectes d'alors. Leur hauteur autant que leur emprise sur le flanc de la montagne donne encore le vertige par le seul fait de les contempler. Ce village, autrefois témoin de célèbres combats entre les chrétiens et les Sarrazins ferme la porte de la province de Leon. Aujourd'hui, juste à gauche du village, une autoroute passe à deux cents pieds au-dessus de nos têtes, reliant les deux provinces du Nord-Ouest de l'Espagne.

La Galice

À la sortie du dernier village, Las Herrerias, le sentier s'engage résolument dans la montagne sur un tracé étroit où chaque obstacle, une roche, un arbre ou une cascade, crée une déviation du chemin. La pente abrupte exige à chaque moment une attention soutenue, un effort constant vers le haut. Pour une des rares fois en Espagne, mon bâton sert de point d'appui et trouve enfin son utilité. Qu'il est beau ce paysage de montagne ! Des forêts de chênes tout autour nous annoncent que nous venons d'entrer dans la Galice, la région la plus verte et la plus boisée d'Espagne.

Cette montée vraiment raide exige tellement du marcheur que je comprends bien le sens des messages rencontrés auparavant. Tous les villages offrent des services de taxi ou de minibus pour atteindre le sommet de la montagne. Durant ces huit kilomètres, je monte seul, ne voyant strictement personne. J'avance en mettant soigneusement un pied devant l'autre, attentif à trouver le meilleur appui, la prise qui me permet de m'élever sans glisser. Durant mon séjour en France en 1986, un guide de montagne m'avait enseigné à grimper dans de telles circonstances : faire de petits pas, mais ne jamais m'arrêter. J'applique ce principe à la lettre. Combien ai-je fait de ces pas minuscules ? Je ne saurais le dire. Pendant une heure et demie, je les aligne les uns devant les autres, inlassablement, presque sans arrêt.

Le paysage s'assombrit, la pluie vient vers moi à grands pas et je tiens à la devancer au sommet de la montagne. Vers 16h00, j'atteins le premier village de la Galice. La pente perd de son accent prononcé, signe évident que j'approche du sommet. Le sentier débouche enfin au milieu de pâturages et se confond alors avec ceux des animaux. Très boueux, glissant, rempli de bouses de vaches, ce chemin à bestiaux va assurément m'amener de la compagnie. De fait, je croise trois troupeaux de vaches. Si mes deux premières rencontres se font sous le signe de la bonne entente et du partage du chemin, il en est tout autrement pour la troisième. Ce troupeau d'une vingtaine de bêtes à cornes arrive devant moi dans un sentier creux, entre des murets de pierres qui séparent des propriétés, où il m'est impossible de sortir et d'escalader les côtés. L'une des premières vaches avance directement vers moi, tête baissée, et va me piétiner. Une décision rapide s'impose. Je laisse tomber mon bâton, je fais quelques pas vers elle et je la saisis par les cornes. Et lentement, tout doucement, en reculant, je l'amène à se tasser progressivement et à me céder une place. Dociles, gentilles, pas du tout effrayées par ma présence, les autres vaches derrière elle suivent sa trace. Quand le troupeau a terminé de passer, je récupère mon bâton et je reprends ma marche comme si rien ne s'était passé. La jeune vachère, qui a suivi la manœuvre loin derrière, me salue d'un large sourire au moment où je la croise.

Peu de temps après ma rencontre avec les «porteuses de lait», j'aperçois les premières maisons du village de O'Cebreiro. Il est temps d'arriver, car de grosses gouttes d'eau s'échappent des nuages et criblent mon manteau de leurs perles éclatantes. J'entre donc au gîte sous une averse intense. Ce village au sommet de la montagne ressemble sensiblement à ceux traversés sur les flancs de collines, cinquante kilomètres auparavant. Construites uniquement en pierres, avec leur épais toit de chaume qui descend près du sol, ces maisons ont été conçues pour résister au vent et au grand froid de l'hiver. La pluie torrentielle qui déferle sur le village toute la soirée et durant la nuit entière ne me permet pas de le visiter. Cependant, à l'heure du souper, comme il pleut abondamment et que personne ne veut sortir du gîte, mon gore-tex, un produit français que rien ne traverse, me vaut le privilège d'être élu par le groupe pour me rendre à l'épicerie, afin de trouver le nécessaire pour manger.

Dominique, qui aime faire la cuisine, désire nous préparer des tortillas, tel que lui a enseigné *l'hospitalera* à Villadangos del Paramo. Il s'agit réellement d'une aventure de groupe, chacun y allant d'un conseil ou d'un coup de main pour la préparation des pommes de terre, des œufs et des pâtes. Un succès sur toute la ligne. Même le manège qui consiste à retourner la tortilla sans la briser obtient un plein succès. En cette soirée pluvieuse et venteuse, à O'Cebreiro, avec un minimum de moyens, Roger, Terry, Karine de Paris et son ami alsacien, Dominique, Lola et moi-même dégustons une excellente tortilla, arrosée de deux bonnes bouteilles de vin du pays.

Des trombes d'eau coulent sur les toits...sans arrêt, toute la nuit. Dans nos dortoirs trop étroits, il est impossible de chasser l'humidité. Le matin, nous revêtons notre linge mouillé pour repartir, sous une averse diluvienne. De plus, sur la montagne, il vente à écorner les bœufs et les sentiers, impossibles à utiliser, forment de grandes mares d'eau. Reste le chemin goudronné. En pleine noirceur encore une fois, la route descend lentement dans la vallée, comme un ruban sinueux déroulé entre les montagnes. Dès les premières lueurs du jour, un spectacle grandiose émerveille nos yeux. La pluie, poussée en rafales par ce vent violent, crée l'illusion des grandes poudreries des pays nordiques. Le pèlerin doit marcher légèrement penché pour contrer l'effet du vent et tenir le bord de la route. Les bancs de gouttelettes d'eau qui déferlent, par vagues successives, nous frappent par la gauche tandis que les véhicules qui viennent à notre rencontre nous arrosent par la droite. Sur un col particulièrement exposé au vent, les responsables du chemin ont érigé la statue d'un pèlerin qui retient difficilement son chapeau, sous l'effet combiné du vent et de la pluie. Cette statue reproduite sur toutes les cartes postales illustre bien la difficulté du chemin à cet endroit. Roger, malgré le fait que les éléments se déchaînent autour de lui, tient à ce que je croque une photo de lui, au pied de la statue. À les regarder tous les deux, j'ai l'impression que l'un devient la réplique exacte de l'autre, tellement Roger ressemble à ce pèlerin. Je n'ai jamais su si la photo avait été réussie.

Peu après, nous rejoignons Ludwig sur le chemin. Notre Allemand, arrosé et trempé de toutes parts, marche avec le même air imperturbable des belles journées ensoleillées : le même mouvement de sa canne, le regard perdu au loin, et la démarche fière et énergique héritée de ses ancêtres, les Prussiens. Vers 11h00, nous atteignons le premier bar. La jeune tenancière semble encore plus malheureuse que nous de voir des pèlerins aussi trempés. Comme son poêle à bois chauffe d'un bon feu réconfortant, elle nous invite à nous installer devant l'âtre et à faire sécher notre linge, pendant qu'elle nous prépare un déjeuner de son cru. Trente minutes plus tard, à la sortie du bar, la pluie a cessé et nous pouvons reprendre le chemin dans de meilleures conditions.

Le sentier quitte la route et s'engage au flanc du Monte Pozo de Area. De ces hauteurs, nous avons tout le loisir d'admirer la beauté des paysages de la Galice : les collines couvertes d'eucalyptus contrastent avec les vertes vallées où les maisons paysannes tachètent à peine le panorama. Entre Padornelo et Fonfria, le mont Alto de Poio s'élève au-dessus de nous à plus de 1330 mètres, alors qu'en bas dans les vallées, les habitations de fermes, éparpillées le long des routes, recréent des paysages de rêve, comme on en voit dans les livres d'enfants. Les diverses teintes de vert et de jaune qui se mêlent et s'harmonisent sous l'action continue des premiers rayons du soleil fascinent notre regard. Décidément, la Galice nous séduit dès notre arrivée.

Au début de l'après-midi, nous entrons à Triacastela où un gîte aménagé dans un parc de loisirs, près d'une rivière, possède tout le charme nécessaire pour nous retenir. Nos vêtements encore trempés n'invitent guère à la baignade, celle du matin, sous la pluie torrentielle, a comblé nos attentes. Immédiatement après la douche froide prise à l'intérieur, les cordes à linge bien exposées aux chauds rayons du soleil reçoivent nos nippes humides, celles de la veille comme celles du matin. Frais et dispos, nous nous dirigeons vers le restaurant, en face du parc, pour refaire nos forces; nous y croisons Lola et Terry qui arrivent dans un piteux état. Tous deux veulent poursuivre, mais il faut peu d'arguments pour les convaincre de passer le reste de la journée avec nous.

Une des soirées des plus agréables. Après une brève visite du village, qui ne compte que quelques rues autour de l'église et de la place du marché, nous nous assoyons sur une large véranda qui s'ouvre sur la rivière, à l'arrière du gîte, et nous assistons à notre premier coucher de soleil, en Galice. Pendant que Ludwig, notre Allemand à la corne sonore, débouche sa bouteille de vin, prélude du prochain concert, nous partons en groupe vers le restaurant que Roger nous a choisi. Le patron nous offre avec entrain sa spécialité: une magnifique tranche de bœuf, servie sur une planche de bois. Le vin, le choix du chef, se marie agréablement avec la viande. Nous revenons au gîte, réconciliés plus que jamais avec le chemin et prêts à entreprendre la traversée de la Galice.

Au petit matin, nous quittons le gîte, dans la nuit noire, pour une piste qui, après les premiers tâtonnements pour s'assurer qu'il s'agissait bien de la bonne, serpente à travers des collines et des sous-bois. Quel bonheur de marcher ainsi dans la nuit, guidés par les étoiles qui brillent au-dessus de nos têtes ! Les premiers pèlerins avaient sûrement connu ce ciel de Galice, car ils ont baptisé le chemin du beau mot de *Compostela*, le champ des étoiles. Quelques-uns des nôtres, incertains du chemin, ont préféré s'attarder au village, attendant les premières lueurs du jour. Ils se sont privés de cette belle randonnée dans la nuit.

Après une descente dans la vallée pour la traversée de la rivière Valdeoscuro, le sentier remonte sur les flancs de la montagne Alto de Riocabo, haute de plus de 800 mètres. Le soleil qui se lève à peine, encore tout enveloppé des nuages de la nuit, répand une délicate peinture rosée sur les arbres devant nous, tandis que les arômes de ces bocages de cèdres dans lequel s'engouffre le sentier emplissent nos narines de vapeurs délectables. La paix et la tranquillité qui règnent en ces lieux favorisent les voyages intérieurs. Après la descente de la montagne, le sentier rejoint une route plus importante qu'il croise et longe de très près. Sur cette portion du sentier, nous rattrapons un groupe de douze hommes qui marchent sans sac, suivis d'une voiture qui transporte leurs bagages. Ces randonneurs, selon leurs dires, font partie d'une association chrétienne et voyagent accompagnés d'un prêtre. Au début, ils demeurent incrédules devant nos affirmations, à savoir que nous venons de Puy-en-Velay avec nos lourds sacs à dos. Puis, leur attitude hautaine et leurs moqueries commencent à nous indisposer. Comme ces marcheurs n'ont rien d'intéressant à nous raconter, nous décidons d'accélérer le pas et de les distancer. Pendant que Roger passe devant eux, j'entends sur toutes les lèvres :

— Où, diantre, ce Belge a-t-il appris à marcher ?

Nous arrivons à Sarria vers midi où nous nous arrêtons pour prendre une bouchée. Cette ville, située sur les hauteurs, a conservé la tour et l'ancien château des seigneurs de l'endroit, de même qu'une partie des remparts de sa forteresse. La vieille ville autour de l'imposante église du Salvador et du couvent de la Magdalena occupé jadis par les Augustins, est intéressante à parcourir. Cependant, comme nous avons toujours préféré les petits gîtes ; notre visite terminée, nous reprenons le sentier vers Barbadelo

À notre arrivée à ce gîte propret de 18 lits à peine, en pleine campagne, les douze hommes rencontrés avant Sarria occupent déjà les lieux, même si une grande affiche à l'entrée indique clairement que cet établissement est réservé aux pèlerins qui portent leur sac et qui ne reçoivent le soutien d'aucun véhicule. De notre côté, nous inscrivons nos noms sur le registre et nous nous installons sur les matelas disponibles. Quand la jeune *hospitalera* arrive, elle montre à quelques-uns de ces chrétiens l'affiche placée bien en vue à l'entrée du gîte, puis elle va avertir les autres membres du groupe de quitter les lieux. Nous n'avons pas été témoins des propos qui se sont tenus à cette occasion, mais assis dehors, en train de prendre notre apéritif, nous voyons la jeune dame sortir rapidement, presque en courant, s'enfermer dans son auto et verrouiller les portières. Ces catholiques fervents mettent plus d'une heure à quitter les lieux pendant que la pauvre *hospitalera* attend craintivement, enfermée dans sa voiture. Ces hommes de bien prennent d'abord leur douche, font leurs toilettes, puis s'ouvrent quelques bouteilles de vin pour fêter l'événement en se racontant des histoires bien drôles. Pendant leurs festivités, le plus jeune du groupe, un membre de la jeunesse catholique, affirme-t-il, vient nous dire deux mots. Selon ses propos, ces gens voyagent en présence d'un prêtre, absent pour le moment, écoutent la messe tous les jours et se confessent une fois la semaine. Le coût du voyage est défrayé par une association locale. Pour Roger et moi, pécheurs sans repentir, à peine croyants, qui partageons en silence les souffrances de la jeune *hospitalera*, le départ de ces vaillants défenseurs des valeurs religieuses traditionnelles nous ravit. Ces hommes aux épaules fragiles, sans sac à dos, dont la foi est sans doute très grande, l'espérance sans limite et la charité tout à fait ratatinée, n'inspirent nullement notre respect. Aussitôt les dévots partis, nous rencontrons, pour lui offrir notre soutien, la jeune dame timide, la responsable du gîte, dont les mains et le timbre de la voix tremblent encore, témoins du drame qu'elle vient de vivre.

Entre temps, d'autres pèlerins arrivent et prennent les lits laissés libres. Pendant que je replace mes effets, j'aperçois Rosemary en grande discussion avec son père, l'évêque de San Francisco. Ses regards trahissent sa pensée. Aucune place sur les matelas du bas n'est disponible. Pour une personne de sa taille et de son poids, il est vraiment gênant de monter au deuxième ou au troisième étage des lits superposés. Je m'avance alors vers elle et je lui propose mon matelas. Son large sourire met fin à la discussion et elle s'empresse de venir prendre possession de son nouveau territoire. Mon admiration pour cette dame corpulente n'a jamais fléchi au cours de ce mois passé à ses côtés. Il faut une volonté d'acier pour continuer sur ce chemin malgré son surplus de poids qui fond un peu plus à chaque étape.

Près de ce gîte perdu au milieu de nulle part, ni épicerie ni restaurant n'ont trouvé preneur. Mais, à deux cents mètres, dans une grande maison de ferme, *En la casa de Elena*, la dame offre le souper et le déjeuner. Pour s'y rendre, le marcheur doit suivre un sentier dans un boisé de hêtres, sans aucune forme d'éclairage. Nos minuscules lampes de poche servent, bien sûr, pour circuler dans le gîte la nuit ou pour ramasser nos effets le matin, mais aussi, à l'occasion, pour guider nos pas à l'extérieur. Cette Elena, une fermière recyclée dans la restauration, comme elle le déclare elle-même, se plaît à cuisiner; son assiette vaut bien celle de la plupart des restaurants visités jusque-là. Même si aucun menu n'annonce ce qu'elle va nous offrir, nous y mangeons très bien. Plus que jamais, isolés au milieu de la campagne, la nécessité nous oblige à accepter le premier précepte de notre guide: *le pèlerin ne demande rien, n'exige rien, il prend ce qu'on lui donne.*

Le lendemain matin, en quittant le gîte, nous empruntons une route de campagne que nous suivons tout l'avant-midi, et qui traverse une quinzaine d'agglomérations de cinq ou six maisons chacune. À l'entrée de l'une d'elle, un grand panneau indique: Santiago, 100 kilomètres. Un message qui ne déclenche en moi aucune manifestation de joie. Au contraire, je commence à me sentir triste d'avoir à quitter le sentier. Je crois que Roger connaît une réaction semblable à la mienne. Nous ne parlons jamais de la distance qui reste à parcourir, comme si cette simple évocation faisait figure de tabou entre nous. J'appréhende déjà le moment où nous allons nous séparer. Seul le départ de Santiago pourra briser la complicité qui nous unit.

Vers 10h00, la pluie recommence à tomber. J'en suis presque content, car alors je mets mon capuchon et je rentre en moi-même. Je peux marcher des heures et des heures, pour autant que le vent ne se mette pas de la partie. Je me vois comme une tortue sous son toit. Je rejoins Roger juste avant de traverser le très long pont sur le fleuve Miño, à l'entrée de la ville de Portomarin. Nous aimons bien nous diriger ensemble vers un nouveau gîte. Cette ville récente a été construite un peu avant 1962, au moment où un barrage électrique est venu inonder l'ancienne cité romaine, en bas, sur les bords du fleuve. Quand le débit baisse, on aperçoit sur les rives et au milieu du courant les vestiges de la vieille ville inondée. Au moment de construire cette nouvelle agglomération sur la colline, les architectes ont eu une idée de génie: comme il pleut souvent dans cette région de l'Espagne, les trottoirs ont été remplacés par des promenades sous des arcades. Ainsi, au cours d'une averse, il est possible de se promener dans la ville, sans recevoir une goutte. Pour nous, une telle protection importe peu, étant sous la pluie depuis deux heures au moment où nous entrons dans la ville.

Un grand gîte, très moderne, bien aménagé, peut recevoir près d'une centaine de pèlerins dans quatre dortoirs différents. En fin de journée, la pluie a cessé et bon nombre de marcheurs s'arrêtent pour faire sécher leur linge de telle sorte que l'établissement affiche complet. Malgré la modernité de la ville, et peut-être à cause de cela justement, cette agglomération mérite une visite. Profitant du soleil qui se pointe le bout du nez, je vais me balader au centre-ville. Un aménagement bien réussi qui semble plaire à ses habitants, du moins à un gentil monsieur avec qui j'ai l'occasion d'en parler.

Le lendemain, nous retraversons le fleuve, sur ce long pont bien éclairé. Un problème se pose à notre arrivée sur le sentier: nous ne voyons plus rien. Roger sort alors sa lampe frontale; car il nous apparaît dangereux de marcher le long du fleuve, en pleine obscurité. Le sentier rejoint ensuite une route assez fréquentée qu'il longe à peu de distance, ce qui permet de ranger la lampe. Après Castromajor et Hospital de la Cruz, nous retrouvons une route de campagne où seulement quelques tracteurs circulent parfois. Dans cette très belle région de la Galice, le sentier se balade avec insouciance de collines en vallées, parmi de verts pâturages, séparés çà et là par quelques carrés de grands eucalyptus, plantés de mains d'hommes, pour créer de l'ombre, enrichir le sol et protéger les cultures. Les feuilles odoriférantes de ces arbres rectilignes qui jonchent les bords du sentier parfument la campagne galicienne tout entière. Cette randonnée à travers ces paysages où tout respire la paix et la tranquillité favorise mille et une songeries. Mon âme me répète à quel point il sera difficile de quitter ces agréables promenades.

Vers midi, nous faisons une escale à Prontos dans un bar d'une simple agglomération de quelques maisons. Le propriétaire a transformé cette maison de ferme pour y accueillir des pèlerins. Cet homme très aimable, dans la jeune trentaine, trouve plaisir à recevoir ses clients. Il nous offre d'abord un bon verre de vin qu'il vient remplir à quelques reprises, pendant qu'il nous prépare une assiette faite des produits de sa région. Un vrai régal ! Et cela, pour une somme modique. Puis, avant notre départ, il tient absolument à ce que nous goûtions à la potion magique qu'il affirme avoir fabriqué lui-même : un trou normand de première qualité. Avec un tel regain de vie, nous atteignons Palas de Rei en toute douceur, les menaces de pluie qui ont plané au-dessus de nos têtes toute la journée ne s'étant jamais concrétisées.

À notre arrivée dans la ville, le ciel se dégage momentanément et nous apprécions de faire la lessive. De notre gîte sur les hauteurs de la ville, au troisième étage de l'édifice municipal, Lola nous montre les éoliennes qui battent des ailes sur les montagnes près de Santiago. Plus aucun doute, nous approchons de notre but. Cette jeune femme espagnole, qui nous a quittés à quelques reprises, disant qu'elle devait accélérer pour ne pas être en retard, retrouve toujours le temps de revenir avec nous. Elle va d'ailleurs nous accompagner jusqu'à Santiago. Nous aimons bien sa présence, puisqu'elle accepte volontiers de nous parler de l'histoire et des us et coutumes des gens de son pays. Cette dame fort sympathique, au sourire narquois et à la répartie facile, agrémente vraiment la fin de notre voyage.

Vers 16h00, Fitzgerald arrive au gîte avec sa fille, les semelles de ses bottes pendent lamentablement. L'*hospitalera* me donne une adresse où je peux trouver un bon artisan à proximité. À l'instant où je mentionne à cet humble travailleur, au fond de son atelier, que l'homme qui requiert ses services est un évêque, il appelle immédiatement sa fille pour qu'elle range son atelier. Dès l'entrée de Fitzgerald, l'homme ne finit pas de se perdre en salutations. Je quitte le modeste commerce, sachant que les deux vont bien s'entendre. À son retour, l'évêque me montre ses bottines: un excellent travail. La réputation des artisans espagnols est bien connue sur le sentier et leur générosité va souvent de pair. Ainsi, ce cordonnier n'a rien voulu recevoir pour son travail.

À la sortie du restaurant, le ciel étoilé nous promet une nuit calme et reposante. Nous marchons quelque temps avec Lola dans les rues peu achalandées de la vieille ville qui révèle ses attraits, sous cet éclairage blafard. Nous regagnons le gîte où des fenêtres entrebâillées laissent passer la fraîcheur du soir. Des cordes fixées à ces mêmes fenêtres suspendent notre linge qui va finir de sécher. Au cours de la nuit, un orage soudain éclate, arrosant sans ménagement nos vêtements. Avant d'avoir le temps de récupérer notre lingerie et de tout fermer, le mal est fait. Au matin, avant de partir, nous accrochons à nos sacs ces torchons complètement détrempés.

La pluie abondante de la nuit a raviné le chemin et créé d'immenses mares d'eau. Le fond glaiseux du sentier nous oblige à surveiller chacun de nos pas. Un faux mouvement et l'on risque de perdre pied. Le parcours suit la route d'assez loin et côtoie quelques villages isolés, dans une région plutôt pauvre. À Melide, à un carrefour de route, la magnifique chapelle Santa Maria ouvre ses portes aux visiteurs. Je franchis le seuil autant pour m'y asseoir une minute que pour y jeter un coup d'œil. Quel beau sanctuaire! Tous les éléments de ce temple du XIIe siècle reflètent la spiritualité des gens de la région, en particulier, ce Jésus en croix fixé à la poutre horizontale par une seule main et qui tend l'autre au pèlerin de passage. Une jeune fille, en costume du pays, explique avec patience les particularités de l'édifice religieux, dans un espagnol tout à fait classique. J'écoute avec beaucoup d'intérêt, subjugué par la beauté des gestes de la jeune Galicienne qui s'exprime avec grâce et volubilité, jusqu'au moment où un couple parlant uniquement français s'interpose et me demande de tout traduire. Avec bonne volonté, je fais quelques efforts pour livrer l'essentiel, mais devant leur insistance à travailler le détail, la sauce tourne rapidement au vinaigre et le charme s'envole. Je ramasse alors mon sac et reprends le sentier.

En ce 19 octobre, en direction de Arzua, nous connaissons sans le savoir notre dernier bel après-midi de marche. Dans cette région agricole, un ciel sans nuages donne à ces petites collines une couleur, une verdeur sans pareille. Je marche seul sur ce sentier de campagne où, parfois, dans le lointain, sur une route hors de ma vue, mes oreilles perçoivent le grincement d'un frein, un coup de klaxon isolé. Des troupeaux de vaches laitières broutent paisiblement dans les champs d'herbes tendres, tandis que quelques tracteurs labourent des portions de terre fertiles entre des rectangles de grands eucalyptus. Je savoure alors ces derniers kilomètres d'un chemin qui m'a montré de si beaux paysages. Perdu dans mes pensées, à l'approche de l'agglomération de Ribadiso, je suis surpris d'apercevoir Roger assis sur le garde-fou d'un vieux pont romain, dans un magnifique décor de carte postale. Comme je m'avance vers lui, il m'indique, de la main, les quelques bâtiments en pierres des champs sur le bord de la rivière Iso, notre futur gîte, sans aucun doute. Pendant quelques minutes, penché au-dessus du cours d'eau, en silence, j'écoute le ruissellement de l'eau de la rivière qui gazouille sous ce pont, construit depuis des milliers d'années. Ni l'un ni l'autre n'ose interrompre le charme discret de ce bel après-midi d'automne.

Nous franchissons finalement le portique du gîte où nous déposons nos sacs, dans un vaste dortoir. Au-dessus de la grande salle, une mezzanine, avec fenêtre s'ouvrant sur la rivière, contient quelques lits. Nous y installons nos effets sans hésitation. Après une douche rapide, le lavage de notre linge et une mise au séchage au soleil sur des cordes à l'extérieur, nous reprenons le sentier, en sens inverse, vers un bar, en haut sur la colline. En chemin, nous croisons Lola qui s'empresse de faire demi-tour pour nous accompagner. Et pendant plus d'une heure, souvent en silence, une bière à la main, nos yeux restent rivés à cette vallée, à nos pieds, dont l'image s'imprime à jamais dans notre mémoire. Nous vivons les derniers instants d'une expérience qui marquera le reste de nos jours. Dans nos échanges à bâtons rompus, personne ne cherche à évoquer la fin du périple. Notre silence, seul, nous le rappelle.

De retour au gîte, devant une bouteille de vin ramenée du bar, assis sur une pierre le long du mur de l'édifice, pendant que Lola prend sa douche et se repose durant une courte sieste, Roger et moi assistons au plus beau coucher de soleil de tout notre séjour en Galice. Bien à regret, à la brunante, nous retournons au bar où la tenancière nous a promis un bon souper. Sur le sentier, la tristesse qui nous envahit tarde à partir. Il a suffi qu'un couple de Mexicains s'invitent à notre table, au bar, et qu'avec leur verve coutumière, ils chassent ce sentiment tenace. Nous revenons au gîte, à la tombée de la nuit, sous un ciel sans nuage, contemplant *ce champ des étoiles* qui plus que jamais parle à notre âme.

Au réveil, dans ce gîte sans chauffage, le temps froid du matin nous met rapidement sur pied. Le ciel, complètement couvert, annonce la fin de la récréation. À l'entrée d'Arzua, nous frappons à la porte du premier bar pour le déjeuner. La dame qui a vécu jadis en Belgique s'intéresse particulièrement à Roger. Ses tartines maison, fraîchement sorties du four, sont vraiment délicieuses. La pluie nous attend à la sortie du bar. Sans être continues, ces averses se succèdent à intervalles réguliers au cours des vingt kilomètres qui restent à franchir avant d'entrer à Arca. Le gîte municipal, aménagé au premier étage d'une ancienne école primaire, accueille une centaine de pèlerins, dans des classes d'une dizaine de lits superposés. Heureusement qu'en cette période de l'année, le nombre de marcheurs ayant diminué, nous ne manquons pas d'espace pour étendre nos nippes. *L'hospitalera*, une dame dans la cinquantaine, nous fournit de vieux journaux que nous enfouissons dans nos bottes, pour en retirer un peu d'humidité. Au moment où nous revenons du restaurant, Lola arrive, trempée de la tête aux pieds. Un couple de Montréal, Polonais d'origine, qui a partagé notre chemin, au cours des derniers jours, repart vers Santiago, pour vingt autres kilomètres sous la pluie. Le bon vin du midi a ramolli notre courage, nous déclinons l'offre de les accompagner.

En soirée, le ciel s'étant en partie dégagé, nous voulons fêter ce dernier soir sur le chemin dans un bon restaurant, un peu éloigné du gîte, que nous a conseillé *l'hospitalera*. Notre témérité est fort mal récompensée. En cours de route, un nuage épais crève au-dessus de nos têtes, déversant en quelques minutes des cascades d'eau qui surprennent complètement Lola et Roger, peu habillés pour affronter la pluie. Plus que jamais, je remercie le ciel pour mon manteau étanche qui me préserve des flots du déluge. L'excellent repas et le bon vin finissent par atténuer ce désagrément passager, et nous réintégrons notre gîte humide, sous un bon vent glacial.

Toute la nuit, la pluie déverse des seaux et se prolonge à notre sortie du gîte. Nos vêtements que personne n'a trouvé le moyen de faire sécher, restent trempés. Pour cette dernière étape avant Santiago, ces mauvaises conditions demeurent un facteur négligeable, du moins pour les pèlerins aguerris. La proximité du but nous donne des ailes. Quelques marcheurs de courte distance, grippés, malades, n'osent reprendre le chemin et font appel au service de transport. Ils se rendront à Santiago en autobus. Sur le sentier, quelques kilomètres après le départ, l'entrain revient, même si la pluie et le brouillard dans les vallées et sur les montagnes nous empêchent d'admirer le paysage. Et ainsi, nous franchissons cette courte étape, tiraillés entre la tristesse de mettre fin à notre périple et le désir bien naturel de retrouver un abri chaud et sec. La montée de hautes collines sur des chemins forestiers ne minimise en rien notre espérance de voir apparaître la ville de Santiago. Les deux villages de Cimadevilla et Labacolla, sous la pluie, n'offrent rien pour retenir nos pas. Seules les deux tours de la TV Galega, aperçues de très loin attirent notre regard; elles annoncent le célèbre gîte de Monte del Gozo, d'où il sera possible de contempler Santiago

Dès notre arrivée sur les hauteurs de la colline, la partie industrielle de Santiago laisse voir ses premiers bâtiments, à travers le brouillard. Ce premier coup d'œil sur la ville ne révèle rien de la cathédrale, cachée par un bosquet de grands feuillus. Après la traversée du gigantesque gîte de Monte del Gozo, pratiquement vide en cette période de l'année, nous poursuivons sur le sentier à la sortie du village, au moment où l'immense cathédrale émerge lentement du brouillard. La pluie tombe alors avec intensité et nous oblige à concentrer nos efforts sur la recherche du chemin. Ces cinq derniers kilomètres s'étirent démesurément, d'une part à cause de *la flotte*, mais aussi parce que le sentier contourne la partie résidentielle et industrielle de la ville avant d'entrer dans la cité médiévale et de rejoindre la cathédrale.

Treize heures sonnent à l'horloge de la basilique au moment où nous montons les marches du parvis du célèbre édifice. Quelques pèlerins sortent de la messe de midi, pendant que la foule court pour se protéger de la pluie. Et nous, debout sous l'averse, béats et un peu abasourdis, incrédules d'être déjà arrivés, contemplons le vieil édifice, couvert de moisissure verdâtre et de fiente de la gent ailée, le point final de notre voyage. C'est alors que Peter l'Australien nous salue de la main et, sans hésitation, d'un seul élan, vient se jeter dans nos bras. Puis, Terry arrive, suivi de Lola. Au même moment, Fitzgerald, et sa fille Rosemary nous rejoignent. Malgré la pluie qui dégouline sur nos figures, sur nos vêtements, dans les bras les uns des autres, pour la première fois, je sens en moi monter l'émotion. Nous sommes arrivés, nous avons complété le chemin. Pendant que la pluie se mêle à nos larmes, joue contre joue, tous ensemble enlacés, nous sommes enfin des pèlerins de Saint-Jacques-de-Compostelle.

Dans la cathédrale où tant de pèlerins sont déjà venus avant nous, les statues, les colonnes et même les dalles du plancher portent la trace de ces milliers de mains, de ces milliers de pieds qui se sont frottés contre les parois du temple. Là, des pleurs, des prières et des soupirs de soulagement se sont mêlés, confondus, chaque jour, durant tant d'années. Comment rester insensibles à ce flot d'émotions qui nous envahit à ce moment? Bien malgré moi, comme les autres pèlerins, je laisse mes mains glisser avec tendresse sur le vénérable édifice, rendu lisse par les attouchements de tant d'autres, témoin de si nombreux souvenirs.

Puis, la nécessité reprend sa place; nous passons au bureau de l'enregistrement des pèlerins pour recevoir la confirmation officielle de notre chemin. Quant au logement. Pierre, *l'hospitalero* de Leon, nous a déconseillé d'aller dans les gîtes. Cette année, plusieurs vols s'y furent commis. De jeunes délinquants jouent aux faux pèlerins et s'introduisent aisément dans ces lieux de repos ouverts à tous pour y commettre leur larcin. Une amie venue en mai dernier m'avait donné une adresse. À la Pension Miñia, la dame nous reçoit avec gentillesse. Trois chambres, dont deux, l'une en face de l'autre, comblent nos besoins. L'affaire est réglée rapidement. Peter nous a donné rendez-vous au Cafe Manolo, sur la Place Cervantès, là où tous les pèlerins ont l'habitude de se retrouver. Avant d'entrer au restaurant, nous rencontrons Lola. Nous l'accompagnons alors jusqu'à la pension où une chambre l'attend, puis nous revenons avec elle pour dîner. Plusieurs personnes rencontrées sur le chemin sont déjà attablées. Un autre moment de partage qui nous arrache quelques larmes. Au souper, nous préférons un petit restaurant à l'écart. Roger et moi voulions souligner d'une façon particulière le départ de Lola qui nous a accompagnés durant les derniers jours et qui va nous quitter tôt le lendemain matin pour aller fêter l'anniversaire de son ami à Barcelone.

La journée du lundi est occupée à la visite de la ville, à l'achat des billets de retour et à ceux de notre voyage au Finistère. À midi, nous nous retrouvons tous dans la cathédrale, sans distinction de religion, pour la messe des pèlerins. Malgré le grand nombre de visiteurs, une section au centre de l'édifice est réservée aux pèlerins. À l'homélie, l'évêque qui préside la cérémonie explique avec beaucoup de simplicité le sens et le rôle de Santiago à travers l'histoire. Ce lieu saint, le plus à l'Ouest de la chrétienté, était considéré à l'époque comme la fin du monde. De fait, selon les cartes déformées du Moyen Âge, la Galice occupait la partie extrême de la surface de la terre, celle-ci étant toujours représentée plate comme le mentionnait la Bible. Les chrétiens se rendaient donc au bout du monde en marchant jusqu'à Santiago. Puis, comme preuve de son pèlerinage, chacun devait se rendre sur le bord de la mer pour ramasser une coquille, d'où l'origine de la coquille Saint-Jacques.

Après la cérémonie, avant de nous quitter définitivement, nous nous donnons l'accolade au milieu de la cathédrale. Je tiens particulièrement à serrer dans mes bras Fitzgerald et sa fille Rosemary pour leur dire toute mon admiration. Le hasard a voulu que nos pas se croisent, tout au long du parcours, et je remercie le ciel pour une telle faveur. Peter prend l'avion en fin d'après-midi, alors que Jacques est parti pour la Suisse, deux jours auparavant. Il sera difficile de revoir ces vaillants compagnons de marche qui laissent derrière eux tant de beaux souvenirs. En sortant de la cathédrale, Michel et Jean, les deux hommes de Poitiers que j'avais laissés à Saint-Jean-Pied-de-Port, montent les marches. Ils arrivent avec une seule journée de retard sur moi. Nous nous sommes donc suivis de très près. Quelles belles retrouvailles! Puis, nous rejoignent au Cafe Manolo Denise et Marianne, les deux femmes suisses qui marchent avec Ditter.

Au dîner, Terry est déjà attablé avec son fils et sa belle-fille venus le rejoindre. En voyant la balafre sur le côté droit de la figure de son fils, je devine en partie pourquoi ils ont quitté tous les deux la Nouvelle-Zélande, et quels événements pénibles ont dû s'y dérouler. Je dîne avec eux, heureux de partager les derniers instants avant le départ de cet homme avec qui j'ai souvent discuté et qui m'a livré de profondes réflexions sur la vie, l'histoire et notre relation avec le monde.

Mardi matin, nous montons dans l'autobus en direction du Finistère. Près de quatre-vingt kilomètres séparent Santiago du bord de la mer. Quelques pèlerins s'y rendent à pied, mais la pluie des derniers jours a émoussé notre volonté. Il est agréable, assis dans cet autobus confortable, d'admirer le paysage rocheux de cette pointe de l'Espagne qui s'avance dans la mer. Le véhicule s'arrête à Fisterra, dernier village accessible en voiture. Une promenade de cinq kilomètres nous donne la possibilité de tremper nos pieds dans la mer, à l'extrémité du pays. La coutume ancienne veut que le pèlerin brûle ses vieux vêtements et en revête des neufs pour le retour. Nous n'avons rien brûlé ni rien jeté, même si nous avons vu de jeunes Espagnols lancer quelques morceaux de tissus dans les bacs de récupération mis à la disposition des pèlerins.

Le lendemain, dernière journée à Santiago, est un moment privilégié pour exprimer notre tristesse et notre vague à l'âme. Je traîne mes pieds tout l'avant-midi dans les rues de la ville à la recherche de quelques livres que je veux rapporter en souvenir. J'en déniche deux, en espagnol, qui contiennent beaucoup de photos du chemin, l'aspect qui m'intéresse davantage. En me rendant dîner au Cafe Manolo, j'aperçois Monique, ma compagne de France qui arrive, fraîche comme une rose. Nous nous sommes quittés à Barcelone-sur-le-Gers, craignant de ne plus nous revoir. La Providence est bien bonne: une autre de ces retrouvailles des plus sympathiques.

En après-midi, Roger, étendu sur son lit, désire rester seul pour digérer ces derniers instants. De mon côté, je me dirige vers l'immense parc de la ville. À l'ombre de grands chênes, ou encore sur de petits sentiers isolés, jalonnés de cyprès, pendant trois heures, incapable de m'arrêter de marcher, je laisse couler mon *spleen* en toute tranquillité, revivant par la mémoire les moments les plus lourds de ma longue randonnée. Je revois la bénédiction des pèlerins dans la basilique Notre-Dame à Puy-en-Velay, la vieille dame sur la place du Plot, la jeune handicapée espagnole, Felice, qui a occupé mon esprit au long des sentiers, et tous ces événements qui ont marqué mon Chemin. Je pense également à ceux qui m'ont conseillé, aidé, encouragé à faire ce pèlerinage, à ma femme et mes enfants que je vais revoir dans quelques jours. Je me rappelle également les marcheurs, les pèlerins qui ont partagé mon chemin. Ils sont tellement nombreux que je ne puis les énumérer tous. Comme les moines du cloître de Moissac qui immortalisaient leurs confrères sur les chapiteaux du monastère, j'aimerais graver dans la pierre, d'une façon bien vivante, la figure des personnes rencontrées: le marcher de Roger, le sourire de Carolina, la main de Joseph, la crinière de Terry, la figure imposante de Jacques, et tant d'autres. Plus encore, mon esprit ne peut admettre qu'un jour nous ne puissions pas nous retrouver tous, pèlerins d'hier, d'aujourd'hui et de demain, dans un lieu qui nous rassemble, quand le temps sera venu pour notre âme de quitter notre corps.

L'esprit encore plein de ces idées, je retrouve Roger dans sa chambre vers les 18h00. Un apéritif en tête-à-tête, sur une belle terrasse où nous assistons à notre dernier coucher de soleil en Espagne, va mettre un terme à notre rencontre inoubliable. Pendant que nos bières reposent côte à côte sur la table, j'observe Roger du coin de l'œil. Son silence exprime mieux que toute parole la tristesse de notre départ. Nous avons échangé nos adresses, nos numéros de téléphone depuis plusieurs jours, déjà. Ce soir, j'aimerais lui dire que nous allons nous revoir, qu'un autre chemin nous attend pour partager d'autres beaux moments.

Au souper, dans le même restaurant où nous avons fêté le départ de Lola, nous nous retrouvons, les cinq pèlerins partis de Puy-en-Velay: Jean et Michel, les hommes de Poitiers, Monique de Lille, Roger, mon fidèle compagnon de voyage depuis Pampelune, et moi-même. Il ne peut pas y avoir une meilleure façon de terminer notre pèlerinage. Cette rencontre, chaleureuse et nostalgique, nous fournit l'occasion de partager les bons souvenirs vécus ensemble. Nous nous quittons les yeux pleins d'eau sur la place Cervantès, espérant maintenir longtemps ces liens qui nous ont unis sur le chemin.

Jeudi matin, 25 octobre, je me lève à 5h00 pour assister au départ de Roger qui doit se rendre à l'aéroport pour 7h00. Quand le taxi arrive, nous nous donnons l'accolade en silence, comme si tout avait été dit. Quand l'auto disparaît dans le brouillard, au coin de la rue, j'ai alors la certitude que nous allons nous revoir... À 8h30, j'arrive à la gare d'autobus pour monter dans un véhicule qui me conduira à Lyon. À 9h00, au moment où nous longeons la piste de l'aérodrome, un avion décolle: Roger part vers Barcelone où l'attend, chez des amis, sa femme et sa fille.

Juste après l'aéroport, l'autobus s'engage sur une route secondaire pour rejoindre l'autoroute, ce chemin goudronné suit de près le *Camino francés*. Dès que mes yeux aperçoivent le sentier, des larmes glissent sur mes joues... À ce moment précis, si je n'avais pas eu femme et enfants qui m'attendaient au Québec, j'aurais demandé au conducteur d'arrêter son véhicule et je serais reparti sur ce sentier en sens inverse sans aucune hésitation.

Conclusion

À leur retour, certains pèlerins affirment qu'il est plus facile d'entrer sur le chemin que d'en sortir. Ces longues journées de solitude sur des sentiers isolés, les témoignages ou les remises en question de ces hommes et de ces femmes qui marchent à leurs côtés, l'internationalisme dans lequel chacun baigne, la découverte de soi et des autres sur ce sentier millénaire, tous ces éléments mêlés et brassés ensemble, jour après jour, risquent d'ébranler des positions fragiles. La vie qui s'y développe provient généralement d'une camaraderie franche, directe, sans demi-mesure, laissant peu de place à l'artifice et aux faux-fuyants. Un long parcours sur le Chemin de Saint-Jacques-de-Compostelle s'inscrit dans une démarche essentielle, profonde et durable, qui tranche avec la vie moderne et mondaine, faite souvent de rapports superficiels et passagers.

À ceux qui s'interrogent encore sur l'utilité de faire ce chemin, qui ne regardent que l'aspect matériel de nos réalités quotidiennes et qui sont davantage intéressés à posséder des biens qu'à réaliser leur vie, je serais tenté de répondre par la négative. Faire le chemin se situe dans un autre ordre d'idée, dans ce qui touche l'importance et la valeur de nos vies. Comme disait si bien le Petit Prince de St-Exupéry, *l'essentiel est invisible*. C'est de ce côté qu'il faut chercher une réponse.

Pour ma part, la rédaction de mon récit de voyage s'imposait dès la première moitié du parcours complétée, avant même mon arrivée à Santiago. J'en avais d'ailleurs parlé à mes derniers compagnons de route. Entreprendre le chemin à rebours, par le biais de l'écriture, devenait la seule façon de digérer tout ce que mes rencontres m'avaient apporté. C'est pourquoi, dès mon retour, je me suis mis à la tâche avec patience et sérénité, essayant de rapporter le plus simplement possible les faits et les émotions vécus sur le chemin. Après la composition des premiers chapitres, des amis qui en avaient fait la lecture, m'ont fortement conseillé de poursuivre et de mener cette écriture jusqu'à son terme, la publication.

À vous tous qui m'avez suivi sur les sentiers de Saint-Jacques-de-Compostelle, je ne puis que vous inviter à préparer un voyage semblable. Si un tel projet vous effraie ou si la santé ne le vous permet pas, prenez l'auto ou l'autobus et allez visiter ces lieux lourdement chargés d'histoire. Si, par contre, vous aimez la marche et avez le goût de l'aventure, chaussez vos bottes, ajustez votre sac à dos et partez droit devant vous, les yeux largement ouverts et la mains tendue. Et vous ne le regretterez pas.

Et si au hasard du chemin en Espagne, ou lors d'un détour par Barcelone, vous rencontrez Felice, racontez-lui mon chemin.

AGMV Marquis
MEMBRE DE SCABRINI MEDIA
Québec, Canada
2002